INSTITUTIONS DIVINES

Cette édition a été préparée avec le concours des auditeurs de l'Université Ouverte de Besançon. Une grande partie de l'ensemble, et en particulier la traduction, a été mise au point au cours de notre séminaire hebdomadaire. Je tiens à remercier de leur participation active de plusieurs années tous ceux qui, à cette occasion, ont fourni un très gros effort pour perfectionner sans cesse leur connaissance du latin et entrer en sympathie avec Lactance, formant ainsi un groupe de travail qui est devenu, au fil des ans, un groupe d'amitié : Madame Blondeau, Madame Bourhy, Madame Dussel, Madame Ferrandi, Monsieur Gambier, Monsieur et Madame Girardot, Madame Huot, Madame Pelletier, Monsieur et Madame Perruche, Monsieur Terrier, Monsieur Thiard.

ISBN : 2-204-02814-2
ISSN : 0750-1978
N° d'Éditeur : 8458

SOURCES CHRÉTIENNES

N° 337

LACTANCE

INSTITUTIONS DIVINES

LIVRE II

INTRODUCTION, TEXTE CRITIQUE,
TRADUCTION ET NOTES

PAR

Pierre MONAT
Professeur à l'Université de Franche-Comté

Ouvrage publié avec le concours
du Centre National des Lettres

LES ÉDITIONS DU CERF, 29, Bd de Latour-Maubourg, PARIS 7e
1987

AVERTISSEMENT

La publication des *Institutions divines* sera l'œuvre de plusieurs collaborateurs. Les livres paraîtront séparément. Ils seront suivis d'un volume qui contiendra une étude d'ensemble sur l'ouvrage et la tradition manuscrite, ainsi qu'une bibliographie détaillée.

On trouvera donc simplement en tête de ce volume une présentation analytique du livre II; une brève note sur la tradition manuscrite accompagne un *stemma codicum* et le *conspectus siglorum;* enfin un index bibliographique donne les références à des ouvrages cités à plusieurs reprises.

Les annotations sont essentiellement constituées de renvois aux études modernes qui portent sur un passage déterminé. Les anecdotes et les personnages, historiques ou légendaires, ne font l'objet d'une note que si l'épisode évoqué prend chez Lactance une forme originale ou fait l'objet d'une interprétation particulière. Quand il s'agit de mythologie courante, nous avons fait l'économie du renvoi aux ouvrages de P. GRIMAL, *Dictionnaire de la mythologie grecque et romaine,* Paris 1951, et surtout de W.H. ROSCHER, *Lexicon der griechischen und römischen Mythologie,* Leipzig 1883-1921.

Les abréviations sont celles du *ThLL,* ou, à défaut, celles du *Dictionnaire Latin-français des auteurs chrétiens* d'A. Blaise, pour les auteurs latins; celles du *Greek-English Lexicon* de H.-G. Liddell et R. Scott et celles du

Patristic Greek Lexikon de G.-W. Lampe pour les auteurs grecs; celles de l'*Année Philologique* pour les publications modernes.

Monsieur J. ROUGÉ, professeur honoraire à l'Université de Lyon-II, a accepté de coordonner le travail des collaborateurs de cette édition. Loin de se contenter de ce rôle, il a véritablement animé l'entreprise. Comme pour le livre I, il m'a généreusement aidé de ses conseils et soutenu par son amitié. Qu'il trouve ici l'expression de ma chaleureuse gratitude.

INTRODUCTION

LE LIVRE II

Un livre de genèse à l'usage des païens

Le premier livre des *Institutions divines* a mis en lumière les erreurs et les fautes de ceux qui croient aux dieux. Cependant, Lactance ne s'est pas contenté de dénoncer, il a amorcé une explication de l'erreur commise par les hommes, en montrant que le polythéisme de son époque n'est qu'une déformation du monothéisme primitif. Celle-ci s'est produite à un moment bien défini de l'histoire, au siècle de Jupiter[1]. Ce fait, nettement établi à ses yeux par l'histoire et la chronologie, enlève au paganisme toute l'*auctoritas* qu'il pouvait tirer de sa prétendue *antiquitas*. La reconstitution sommaire de quelques processus psychologiques assez simples a même permis à Lactance d'expliquer comment on était passé d'un culte rendu au seul Jupiter à une divinisation de ses ascendants et de ses descendants.

1. Cf. *inst.* 1, 22 et notre introduction à ce livre, *SC* 326, p. 13.

Le livre II nous entraîne à la recherche des causes premières, de l'*origine de l'erreur :* tel est son titre. Si, en effet, Jupiter a pu se faire passer pour Dieu, c'est qu'un certain nombre de circonstances favorables le lui ont permis. Pour les mettre en lumière, Lactance se trouve donc conduit à remonter encore le cours de l'histoire, jusqu'à la création de l'homme. Mais, pour rendre compte de la chute originelle de cet être aimé de Dieu, ainsi que du rôle joué par le démon aussi bien lors de cet épisode que dans la vie quotidienne de ses contemporains, Lactance doit encore entraîner son lecteur par-delà l'origine des temps, jusqu'à l'apparition des anges et des démons. Après s'être fait *historien des religions*[1], Lactance s'improvise, en quelque sorte, *historien du plan divin.* En montrant aux païens la situation qu'ils occupent eux-mêmes dans cet ensemble, il espère leur faire sentir que celle-ci s'explique logiquement, même si elle ne se justifie pas, pour qui accepte de déchiffrer avec lui l'histoire du monde et d'en relire une *genèse* à l'usage des non-juifs.

Analyse du livre II

R. Pichon a proposé un « plan » du livre II, dont il admire la composition en trois parties[2]. En fait, l'organisation du livre est beaucoup plus souple que ne l'indique ce plan. Et surtout, la présentation adoptée par R. Pichon, qui cherche essentiellement des oppositions nettement marquées entre diverses « parties » laisse totalement échapper l'unité profonde du livre.

Ainsi, le premier chapitre n'est-il pas seulement destiné à

1. Cf. J.-C. FREDOUILLE, *Lactance historien des religions,* dans *Lactance et son temps,* p. 237-249.

2. R. PICHON, *Lactance...,* p. 275-276. Voici les trois parties : A. Réfutation générale du paganisme. B. Réponse aux arguments des païens. C. Explication de l'erreur païenne.

montrer « la nécessité d'une religion[1] » : il explique, en fait, que celle-ci est inscrite dans la nature même de l'homme. Le rôle de l'apologiste n'est pas ici d'avoir intellectuellement raison, mais de réconcilier l'homme avec lui-même, en lui faisant prendre conscience de la vocation que suppose son état de créature dressée vers Dieu. De même, le chapitre II n'est pas une simple démonstration de l'absurdité de l'idolâtrie : il fait voir et sentir profondément l'avilissement que celle-ci représente pour l'homme, dont la vocation est de s'élever au-dessus du monde des objets. Ainsi sera rendu nécessaire l'exposé sur la nature de l'homme, et donc sur ses origines, qui occupe une grande partie du livre.

Il faut, de la même façon, rattacher les deux chapitres qui suivent à cette même idée directrice. Quand Lactance renvoie dos à dos, au terme des chapitres III et IV, les gens du peuple qui pratiquent la religion par sottise et les gens cultivés qui le font par calcul, c'est après avoir démontré que les uns comme les autres s'asservissent ainsi et trahissent une nature dont il va bientôt expliquer le secret. Il en va de même pour les Stoïciens, dont les contradictions sont dénoncées au chapitre V. Le chapitre VI et le début du chapitre VII (§ 1-7) achèvent de saper le prestige que le paganisme avait fondé sur son *antiquitas :* la « tradition », souvent invoquée par ses champions, ne fait que perpétuer des usages instaurés par une bande de brigands-bergers promus par Romulus au rang de *Patres*.

Mais il reste quelques faits qui résistent à ces explications et à ces raisonnements : un certain nombre de prodiges montrent que les dieux païens exercent sur le monde une puissance indéniable (VII, 7-fin). Lactance ne cherche pas à les nier, ni à les mettre sur le compte de quelque astuce de

1. R. PICHON, *op. cit.*, p. 275.

charlatan. La raison de ces miracles est que, derrière les dieux du panthéon gréco-romain, se cachent les *démons* : ces créatures d'abord privilégiées, qui se sont révoltées contre Dieu, ont conservé de leur premier état une clairvoyance et une puissance qui, bien que limitées, leur permettent d'accomplir divers miracles, de prévoir et de prédire, par l'intermédiaire des oracles, une partie de l'avenir.

Cette raison, Lactance ne la donne pas immédiatement. Elle est présentée au terme d'un long exposé de l'histoire du monde. Dieu a créé d'abord un esprit du bien, puis un second esprit qui deviendra celui du mal (VIII, 1-8); c'est alors seulement qu'il a créé le monde, *ex nihilo,* et non pas, comme le croyaient certains païens, tel Cicéron, à partir d'une matière préexistante (VIII, 8-fin). Lactance évoque ensuite la création des divers éléments du monde (IX), puis celle des êtres vivants et de l'homme (X, 1-9). C'est l'occasion de nouvelles polémiques, contre Aristote d'abord, qui prétendait que l'homme a toujours existé (X, 9-fin), contre les Épicuriens ensuite, tenants d'une génération spontanée (XI, 1-14). Le chapitre XII nous ramène à la création de l'homme, modelage puis animation d'un être essentiellement double, corps et âme, donc voué à la mort par cette dualité (XII, 1-15). Nous suivons ensuite la chute de l'homme, le déluge, la dispersion de l'humanité, le commencement de l'idolâtrie et l'apparition des « nations » (XII fin et XIII). C'est à ce terme qu'on en arrive au rôle joué par les démons dans le monde (XIV-XVI), et que nous est fournie l'explication promise au chapitre VII, de la puissance apparente des dieux, tolérée par le vrai Dieu pour que les hommes soient mis à l'épreuve (XVII, 1-6).

Lactance résume très nettement son argumentation, de manière presque scolaire. Pour lui, ce livre II a montré la vanité du paganisme pour trois raisons : parce qu'il fait rendre un culte à des morts, parce qu'il soumet l'homme à des objets, parce qu'il fait de lui le serviteur des esprits déchus (XVII, 6-fin). On trouvera que ce résumé ne tient guère compte des sinuosités du livre, des nombreuses *altercationes* qui opposent successivement Lactance à toutes les écoles philosophiques de l'antiquité, ni des grands exposés sur l'histoire du monde. Mais ce schéma rappelle le fil directeur, et fait surtout sentir l'unité profonde du livre : en rendant un culte aux dieux, sous quelque forme que ce soit, l'homme s'avilit toujours, il s'abaisse, alors que sa nature exige qu'il s'élève (XVIII) : «celui-là sera jugé digne du ciel, que son père aura pu reconnaître... debout et dressé, comme il l'a lui-même fabriqué[1]».

Le renouvellement des sources Comme dans le premier livre, Lactance utilise largement le traité de Cicéron *Sur la nature des dieux*. Il s'en prend à chacune des écoles représentées dans ce dialogue, soit à l'aide d'arguments empruntés aux autres interlocuteurs, soit en leur opposant des raisonnements très formels, presque formalisés, empruntés sans doute aux usages des philosophes de son époque. En outre, Lactance fait souvent référence aux *Verrines*, et il semble à plusieurs reprises se souvenir de *La République* et du *Traité de la Divination*. Dans ce livre, et surtout dans les *altercations*, c'est toujours le «Cicéron chrétien» qui parle.

Cependant, sur l'ensemble du livre, les sources de Lactance sont peut-être plus diversifiées que dans le livre I, même si les citations explicites sont moins nombreuses[2]. «Soucieux de se mettre à la portée de ses lecteurs païens,

1. *Inst.* 2, 18, 6.
2. Revue de l'ensemble des sources dans l'ouvrage de R.-M. OGILVIE, *The library of Lactantius*, Oxford 1978.

Lactance s'adapte à leur culture, qui est aussi la sienne[1] ».

Mais il se tourne de plus en plus vers les auteurs chrétiens, ainsi que vers le monde oriental. Les exposés de démonologie et d'angélologie reprennent des formules de Tertullien, Cyprien et Minucius Félix. Mais beaucoup d'éléments ne peuvent s'expliquer par ces seuls relais, et il semble bien qu'il faille, en dernière analyse, remonter à Justin et aux apologistes grecs pour rendre compte de l'exposé de Lactance[2].

Ce livre comprend, d'autre part, un exposé sur la création de l'homme. Dans ces pages d'anthropologie, destinées à compléter l'exposé du *De opificio Dei,* Lactance s'inspire plus profondément de la Bible qu'on ne l'a cru pendant longtemps. Même si la présence scripturaire est littéralement discrète, c'est toujours l'Écriture qui a guidé les choix opérés par Lactance entre les théories qui s'affrontaient sur les divers problèmes soulevés par la création[3].

Dans ce livre, Lactance se propose surtout de montrer par quel processus les hommes ont sombré dans le paganisme. L'essentiel de l'explication consiste en une évocation du Déluge et de la dispersion des hommes qui s'ensuivit. Nous avons montré ailleurs comment Lactance s'inspire des pages bibliques, et comment il les adapte à son propos[4]. Mais surtout, nous avons souligné qu'un certain nombre de ces « modifications » ne relèvent pas de sa propre initiative : on les retrouve ailleurs dans la tradition chrétienne, chez Irénée, Justin, Sulpice Sévère. La lecture

1. M. PERRIN, *Culture et foi...,* p. 63.

2. Dans ce cas, on trouvera en général dans nos notes un renvoi aux éditions de l'*Octavius* procurées par M. Pellegrino (Torino 1947) et J. Beaujeu (*CUF,* Paris 1964), dont les commentaires signalent, outre ces parallèles, de multiples passages analogues chez les Anciens.

3. Cf. M. PERRIN, *L'homme antique et chrétien,* part. p. 414 s.

4. Cf. P. MONAT, *Lactance et la Bible,* p. 241 s.

qu'a faite Lactance des pages sacrées n'a donc pas été trop rapide, naïve ou fautive, comme on l'a cru longtemps : elle a été, au contraire, éclairée par des commentaires antérieurs, nourrie par la réflexion, ou la prédication chrétienne. Le livre II n'est pas simplement une adaptation simplifiée de l'histoire sainte à l'usage des païens, il porte aussi témoignage sur la façon dont ces pages étaient lues par les chrétiens de son époque.

TRADITION MANUSCRITE

La tradition manuscrite des *Institutions divines* est particulièrement riche. On connaît plus de 150 manuscrits de l'œuvre. Certes, la plupart datent de la Renaissance, mais nous disposons d'une dizaine de manuscrits antérieurs au XIIe siècle, dont deux remontent au VIe voire au Ve siècle, donc aussi près que possible de l'auteur lui-même.

Cette situation favorable se trouve un peu gâtée par le fait que certains manuscrits contiennent de longs passages que les autres ignorent. Or ces pages sont loin d'être insignifiantes : il s'agit, en effet, de deux dédicaces à Constantin et de deux passages d'inspiration dualiste très nettement marquée. Les admettre ou les rejeter, conclure à l'antériorité d'une version par rapport à l'autre, conduit à interpréter de façons très différentes le rôle de Lactance auprès de Constantin et l'évolution de sa pensée. On a multiplié sur ces points les hypothèses. Avec toute la critique moderne, nous suivons ici E. Heck qui a démontré de façon définitive que la version longue était postérieure à la version brève, dont elle constitue une *retractatio*. On trouvera donc page suivante un *stemma codicum* inspiré de celui qu'il a proposé[1].

On peut ne pas admettre avec E. Heck que la *retractatio* a été l'œuvre de Lactance, mais considérer, comme S. Brandt, qu'elle est due à un interpolateur. Il reste que la version longue fait partie intégrante de la tradition du texte

1. E. HECK, *Die dualistischen Zusätze...*, p. 202.

STEMMA CODICUM

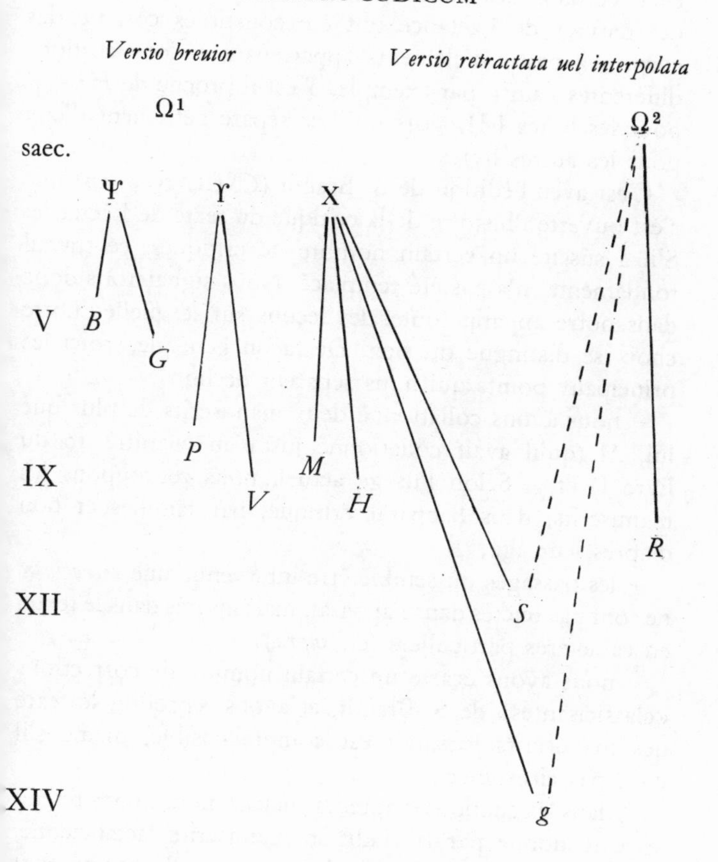

lactancien. C'est pourquoi, en accord avec nos collègues qui éditeront les autres livres des *Institutions divines,* nous avons décidé de faire apparaître en pleine page, et non dans l'apparat, le texte de la version longue, en le signalant à l'attention par des caractères différents.

Ce *stemma* ne saurait convenir que pour le livre II. En

effet, certains des manuscrits qui contiennent l'ensemble des œuvres de Lactance ont été constitués comme des corpus, à partir d'éléments appartenant à des traditions différentes : ainsi, par exemple, *S* est-il proche de *H* et *M* pour les livres I-II, alors qu'il se sépare nettement d'eux pour les autres livres.

C'est avec l'édition de S. Brandt (*CSEL* 19 et 27) que s'est ouverte l'histoire de la critique du texte de Lactance. S'il a suscité un certain nombre de critiques, ce travail fondamental n'a pas été remplacé. Nous signalerons donc dans notre apparat toutes les leçons sur lesquelles notre choix se distingue du sien. De façon générale, voici les principaux points qui nous séparent de lui :

– nous avons collationné deux manuscrits de plus que lui, *M* (qu'il avait collationné jusqu'au chapitre 10 du livre I) et *g*. Selon l'usage actuel, nous regroupons les manuscrits, dans l'apparat critique, par familles et non d'après leur âge;

– les passages où semble être intervenue une *retractatio* ne sont pas rejetés dans l'apparat, mais insérés dans le texte, en caractères particuliers (cf. *supra*);

– nous avons écarté un certain nombre de corrections «classicisantes» de S. Brandt, et avons reproduit le texte des manuscrits lorsqu'il est compréhensible, même s'il n'est pas cicéronien;

– dans les citations d'auteurs anciens, nous avons retenu le texte donné par la tradition manuscrite lactancienne, même s'il s'écarte de l'original connu par ailleurs : on peut fort bien considérer que Lactance s'est trompé, ou qu'il a intentionnellement modifié le texte qu'il citait.Nous avons examiné les corrections proposées par les censeurs de S. Brandt. Mais la présente édition a surtout bénéficié de la minutieuse étude des lieux variants à laquelle s'est livré E. Heck. Sur les points où nous ne l'avons pas suivi, nous avons essayé de justifier notre position dans une note.

NOTE SUR L'APPARAT CRITIQUE

Le texte latin publié ici paraîtra dans le *CC* avec le relevé de toutes les variantes des manuscrits collationnés. Nous donnons ici un apparat allégé, ne comprenant que les variantes significatives, c'est-à-dire :

– celles qui offrent un sens différent de celui qui est retenu;
– celles qui témoignent de l'existence possible d'une forme ou d'une construction inhabituelles;
– celles qui mettent en évidence les caractères communs des manuscrits qui constituent une famille;
– celles qui permettent de déceler l'originalité des individus à l'intérieur d'une famille.

Pour *B* et *G* qui, même dans les pages dont l'ensemble est lisible, comportent parfois un certain nombre de mots ou de lettres illisibles ou dont la lecture n'est pas parfaitement assurée, nous ne signalons pas ces lacunes, s'il n'y a, par ailleurs, aucune hésitation sur ces éléments dans le reste de la tradition manuscrite.

Pour ce qui est des *corrections* :

– nous relevons toujours celles qui ont été effectuées sur *B* par la main que S. Brandt appelle B^3 : cette dernière est, en effet, parfaitement identifiable et semble fort ancienne (VIIe siècle) : ses corrections peuvent donc provenir d'un témoin ancien qui n'a pas laissé de traces dans la tradition; si une leçon de B^3 figure seule dans un lemme, c'est que cette main a introduit une variante là où B^1 avait la leçon commune;

– hors le cas de B^3, nous ne signalons pas celles qui modifient le texte de la première main, lorsque celle-ci avait écrit le texte reçu par ailleurs;

– lorsque le sigle d'un manuscrit est affecté de l'exposant [1] et qu'il n'y a pas d'autre indication, c'est qu'une main postérieure, dont l'identification n'est pas assurée, a rétabli le texte reçu par ailleurs; lorsque le correcteur a introduit une nouvelle variante, nous la signalons;
– les indications *ac* et *pc* en exposant indiquent que, autant qu'on puisse en juger, c'est le copiste lui-même qui s'est corrigé : nous ne signalons ces remords que lorsqu'ils font apparaître l'éventualité d'un lien avec un autre manuscrit.

Citations grecques : la plupart des copistes ont recopié des signes dont le sens leur échappait : les confusions sont multiples entre Γ, Π et T, Λ, Δ et A, E et C, et les variantes sont plus aléatoires que significatives. Elles ne s'opposent pas aux regroupements habituellement proposés entre les manuscrits. Nous ne reproduisons donc que celles qui offrent une forme au moins vraisemblable.

CONSPECTUS SIGLORUM[1]

B	: codex Bononiensis, Bologne, Bibl. univ. 701	Ve s.
G	: codex Sangallensis rescriptus, St-Gall, Bibl. abb. 213	VIe-VIIe s.
R	: codex Parisinus Regius, Paris, Bibl. nat. 1663	IXe s.
P	: codex Parisinus Puteani, Paris, Bibl. nat. 1662	IXe s.
H	: codex Vaticanus Palatinus, Vatican, Bibl. pal. 161	IXe s.
M	: codex Montepessulanus, Montpellier, Bibl. univ. 241	Xe s.
V	: codex Valentianensis, Valenciennes, Bibl. mun. 187	X^{e}-XIe s.
S	: codex Parisinus Regius, Paris, Bibl. nat. 1664	XIIe s.
g	: codex Gothanus, Gotha, Bibl. ducale, membr. I,55	XIVe s.
Br	: S. Brandt editor (= *CSEL* t. 19, 1890)	

Dans l'apparat :

[ ] mots ou lettres à peine lisibles

< > mots ou lettres qu'on ne peut lire, mais dont, vu l'espace disponible et le contexte, il semble possible de proposer la restitution.

1. Nous reprenons les sigles de S. Brandt. On notera toutefois que ce dernier désigne par la lettre *C* le *consensus codicorum*.

DIVINARVM INSTITVTIONVM

LIBER SECVNDVS

De origine erroris

CAPVT I

1. Quamquam primo libro religiones deorum falsas esse monstrauerim, quod hii, quorum uarios dissimilesque cultus per uniuersam terram consensus hominum stulta persuasione suscepit, mortales fuerint functique uita diuinae necessitati morte concesserint, tamen, ne qua dubitatio relinquatur, hic secundus liber fontem ipsum patefaciet errorum causasque omnes explicabit quibus decepti homines et primitus deos esse crediderint et postmodum, persuasione inueterata, in susceptis prauissime religionibus perseuerauerint.

RSg B HM PV

INC- SECVNDVS DE ORIGINE ERRORIS *in ras.* R Incipit liber secundus. de origine mortis *S* Incipit liber secundus Lactantii de origine erroris *g* INCIPIT LIBER SECVNDVS DE ORIGINE ERRORIS LEGENTI VITA IN · XPO· IHV· DNO· N· *B* INCPT DE EADEM RELIGIONE FALSA LIB· II *H subscriptione caret M* INCIPIT LIBER SECVNDVS LACTANTII CAECILII FIRMIANI · DE ORIGINE ERRORIS AD CONSTANTINV IMPERATOR *P* INCIPIT DE ORIGINE ERRORIS *V*

RSg B (G) HM PV (G non fere legi potest)

1 esse : *om. B* || 2 hii : hi *HM PV* ii R B^1 *corr.* B^2 *Br.* || 4 functique :

LES INSTITUTIONS DIVINES

LIVRE II

L'origine de l'erreur

CHAPITRE I

Expliquer l'erreur des hommes pour la détruire

1. Bien que, dans le premier livre, j'aie démontré que les religions des dieux sont absurdes, parce que ceux dont l'ensemble des hommes a adopté, sur toute la terre, sous l'effet d'une conviction stupide, les cultes variés et divers, n'étaient que des mortels qui, après avoir achevé leur vie, avaient, par leur mort, cédé à l'inéluctable volonté divine, toutefois, afin que ne subsiste aucun doute, ce deuxième livre fera apparaître la source même des erreurs et expliquera toutes les raisons par lesquelles les hommes se sont laissé prendre, pour croire, dans un premier temps, que ceux-ci étaient des dieux, et ensuite, lorsque leur croyance fut enracinée, pour persévérer dans des religions qu'ils avaient adoptées de façon totalement aberrante.

functi quae *M* || uita : -am *B HM* || 5 tamen ne qua : ne qua tamen *Sg H* || 7 patefaciet : -fecit *HM* || omnes : -nis R^1 *V* || decepti : decepi S^1 || 8 crediderint : -runt *H* -r̂ *SM* || 9 prauissime : -is *Sg HM* || 10 perseuerauerint : -rarint *R PV* -rauerunt *Sg HM*

2. Gestio enim, **Constantine imperator,** conuictis inanibus et hominum impia uanitate detecta, singularis Dei adserere maiestatem, suscipiens utilius et maius officium reuocandi homines a prauis itineribus et in gratiam secum
15 ipsos reducendi, ne se, ut quidam philosophi faciunt, tantopere despiciant neue se infirmos et superuacuos et nihil et frustra omnino natos putent : quae opinio plerosque ad uitia compellit.

3. Nam dum existimant nulli deo esse nos curae aut post
20 mortem nihil futuros, totos se libidinibus addicunt et, dum licere sibi putant, hauriendibus uoluptatibus sitienter incumbunt, per quas imprudentes in laqueos mortis incurrant. **4.** Ignorant enim quae sit hominis ratio : quam si tenere uellent, in primis dominum suum agnoscerent,
25 uirtutem iustitiamque sequerentur, terrenis figmentis animas suas non substernerent, mortiferas libidinum suauitates non appeterent, denique se ipsos magni aestimarent atque intellegerent plus esse in homine quam uidetur, cuius uim condicionemque non aliter posse retineri nisi cultum
30 ueri parentis sui depositate prauitate susceperint.

5. Equidem, sicut oportet de summa rerum saepenumero cogitans, admirari soleo maiestatem Dei singularis, quae continet regitque omnia, in tantam uenisse

11 gestio enim : + constantine imperator *RS cf.* p. 16 || 13 adserere : adserre *M* || 16 tantopere : tanto opere *B P* || despiciant : dis- R || et : *om. B* || 17 nihil : nihili *P Br. om. B* || 19 dum : cum *B* || aut : ut *P* || 20 totos : -is *HM* || 22 imprudentes : -ter *B* || incurrant : -runt *Sg HM* || 25 terrenis : terris *B*[1] || figmentis [animas : *hinc inc. G codicis pag. 10, quae paene tota legi potest* || 26 substernerent : -nent *M* || 27 aestimarent : existimarent *G* extimarent *B*[1] || 29 non : *om. S* || posse : -et *BG* || retineri : -ere *BG* || cultum : -u *G* || 31 sicut : sic *S*

1. Cf. *intr.* p. 16.
2. Les Épicuriens : cf. § 3, où l'allusion est plus explicite.
3. Il s'agit des statues des dieux : cf. *infra* 17,9-10.
4. Cf. Lact. *opif.* 19,9.

Réconcilier l'homme avec lui-même

2. Car je brûle, **ô empereur Constantin**[1], après avoir vaincu ces vaines croyances et mis au jour la sottise impie des hommes, de soutenir la majesté du Dieu unique, me chargeant ainsi de la mission fort utile et fort importante de faire revenir les hommes de leurs chemins de perdition et de les réconcilier avec eux-mêmes, afin qu'ils n'aillent pas, comme le font certains philosophes[2], se mépriser totalement, ou se considérer comme des êtres faibles, inutiles, qui ne sont rien, mis au monde absolument sans aucune raison; car cette opinion pousse la plupart des hommes vers les vices. **3.** En effet, dès lors qu'ils considèrent qu'il n'y a aucun dieu pour se soucier de nous, ou qu'après la mort nous ne serons plus rien, ils se livrent tout entiers aux plaisirs, et, pensant que cela leur est permis, ils se penchent, assoiffés, pour puiser les voluptés qui les conduisent, sans qu'ils s'en rendent compte, dans les filets de la mort. **4.** Ils méconnaissent, en effet, la raison d'être de l'homme : pourtant, s'ils voulaient bien s'en souvenir, ils reconnaîtraient d'abord leur seigneur, suivraient la voie de la vertu et de la justice, ne soumettraient pas leurs âmes à des modelages de terre[3] et ne convoiteraient pas les charmes meurtriers de la débauche; enfin, ils s'estimeraient également de grand prix, comprendraient qu'il y a en l'homme plus qu'il ne le paraît[4], et que sa force et sa condition ne peuvent être sauvegardées que s'ils abandonnent leur erreur pour adopter le culte de leur véritable père.

L'homme ne connaît Dieu que quand il se trouve dans le malheur

5. A la vérité, moi qui, comme c'est normal, réfléchis souvent, sur l'ensemble de l'univers, je ne cesse de m'étonner que la majesté du Dieu unique, qui maîtrise et dirige toutes choses, soit tombée dans un tel oubli

obliuionem ut, quae sola debeat coli, sola potissimum
35 neglegatur, homines autem ipsos ad tantam caecitatem esse
deductos ut uero ac uiuo Deo mortuos praeferant, terrenos
autem sepultosque in terra ei qui fundator ipsius terrae
fuit.

6. Et tamen huic impietati hominum posset uenia
40 concedi, si omnino ab ignorantia diuini nominis ueniret hic
error. Cum uero ipsos deorum cultores saepe uideamus
deum summum et confiteri et praedicare, quam sibi ueniam
sperare possint impietatis suae qui non agnoscunt cultum
eius quem prorsus ignorari ab homine fas non est?
45 **7.** Nam et cum iurant, et cum optant, et cum gratias
agunt, non Iouem aut deos multos, sed Deum nominant :
adeo ueritas, ipsa cogente natura, etiam ab inuitis pectoribus erumpit! **8.** Quod quidem non faciunt in prosperis rebus. Nam tum maxime Deus ex memoria hominum
50 elabitur, cum beneficiis eius fruentes honorem dare diuinae
indulgentiae debent. **9.** At uero si qua necessitas grauis
presserit, tunc Deum recordantur : si belli terror infremuit,
si morborum pestifera uis incubuit, si alimenta frugibus
longa siccitas denegauit, si saeua tempestas, si grando
55 ingruit, ad Deum confugitur, a Deo petitur auxilium, Deus
ut subueniat oratur. **10.** Si quis in mari uento saeuiente

34 ut (quae) : *om.* P^1 || debeat : debet *B* || 35 homines : -is *S* || caecitatem : caecitam B^1 || 37 autem : aut *S* || ei : et HM^{ac} + praeponant *B* <eipr>aep[on]ant *G* || terrae : -a P^1 || fuit : sit *HM* || 39 impietati : -te P^1 || 42 quam : qum B^1 *corr.* B^3 en quam *HM* || 43 possint : -unt *HM* P || 45. et[1] : *om. G* || 47 pectoribus : peccatoribus V^1 || 48 faciunt] in : *hinc inc. G codicis pag. 11, quae uix legi potest* || 49 tum : tuum *G* cum V^1 hominum : -is *HM* || 52 tunc : tum *HM* || 53 pestifera uis : pestiferauit R^1 || 55 ingruit : ingr[a]uat *G* ingr*uat (a *eras.*) *B* ingruat *HM* inruat R || deus... oratur : *om.* V^1 || 56 saeuiente : saeueniente *B* sauenientem P^1

1. Sur ce lieu commun de la philosophie antique, cf. J. BEAUJEU, éd. de Minucius Félix, *CUF*, p. 99.

2. Les § 7-12 sont une adaptation polémique et rhétorique de l'argument de l'*anima naturaliter christiana* (cf. TERT. *apol.* 17,3-6; *test.*

que, alors qu'elle seule devrait être l'objet d'un culte, elle est la seule à être complètement négligée, tandis que les hommes ont été, de leur côté, conduits à un tel aveuglement qu'au Dieu vivant et vrai ils préfèrent des morts, des êtres de terre, ensevelis dans la terre, à celui qui a jeté les fondements de cette même terre.

6. Et pourtant, on pourrait se montrer indulgent pour cette impiété des hommes, si leur erreur provenait tout simplement de l'ignorance du nom divin. Mais, comme nous voyons souvent les adorateurs des dieux eux-mêmes reconnaître et même proclamer un *dieu suprême,* quelle indulgence peuvent-ils espérer pour leur impiété, eux qui ne reconnaissent pas le culte de celui que, pour l'homme, il est déjà sacrilège d'ignorer[1]? **7.** Car, aussi bien quand ils jurent que quand ils font des vœux ou rendent grâce, ce n'est pas Jupiter ni une multitude de dieux, mais c'est Dieu qu'ils nomment : tant il est vrai que la vérité, sous la seule pression de la nature, jaillit des cœurs, même malgré eux[2]! **8.** Mais cela, ils ne le font pas quand leur situation est prospère. De fait, le moment où le souvenir de Dieu échappe le plus à la mémoire des hommes est précisément celui où, jouissant de ses bienfaits, ils ont le devoir de rendre honneur à sa divine générosité. **9.** Mais, pour peu que quelque pesante difficulté les accable, les voilà qui se souviennent de Dieu! Chaque fois que la guerre fait frissonner de terreur, chaque fois que couve la violence destructrice des maladies, qu'une longue sécheresse a refusé leur nourriture aux fruits de la terre, si un furieux orage, si la grêle a fait rage, c'est vers Dieu qu'on se réfugie, c'est à Dieu qu'on demande son aide, c'est Dieu que l'on prie d'accorder son secours. **10.** Si quelqu'un, en

anim. 2; MIN. FEL. 18,11) : tout en faisant appel à leur témoignage involontaire, Lactance raille la versatilité de ses adversaires.

iactatur, hunc inuocat, si quis aliqua ui adflictatur, hunc potius implorat, si quis ad extremam mendicandi necessitatem deductus uictum precibus exposcit, Deum solum 60 obtestatur, per eius diuinum atque unicum nomen hominum sibi misericordiam quaerit. **11.** Numquam igitur Dei meminerunt, nisi dum in malis sunt : postquam metus deseruit et pericula recesserunt, tum uero alacres ad deorum templa concurrunt, his libant, his sacrificant, 65 hos coronant. **12.** Deo autem, quem in ipsa necessitate implorauerant, ne uerbo quidem gratias agunt. Adeo ex rerum prosperitate luxuria, ex luxuria uero ut uitia omnia sic impietas aduersus Deum nascitur!

13. Quanam istud ex causa fieri putemus, nisi esse 70 aliquam peruersam potestatem, quae ueritati sit semper inimica, quae humanis erroribus gaudeat, cui unum ac perpetuum sit opus offundere tenebras et hominum caecare mentes, ne lucem uideant, ne denique in caelum aspiciant ac naturam corporis sui seruent?

75 **14.** Nam cum ceterae animantes pronis corporibus in humum spectent, quia rationem ac sapientiam non acceperunt, nobis autem **cum**[2] status rectus, sublimis uultus ab artifice Deo datus sit, apparet istas religiones deorum non

57 inuocat : -ant *R* || ui : uii *M* || 58 mendicandi : medicandi *S*[1] || necessitatem : -tas *P*[1] || 63 recesserunt : decesserunt *G* || tum : tunc *Sg HM* || 67 uero : ue *V*[1] || ut : *om. BG HM* || 69 quanam : quantam *G* || 70 ueritati : -tis *S H*[ac] || 71 unum] ac : *hinc inc. G codicis pag. 12 in qua perpauca legi possunt* || 72 perpetuum : perpetum *B*[1] || offundere : effundere *Sg* || 74 seruent : + cuius originem suo loco narrabimus nunc fallacias arguamus *B G (ut uidetur)* || 75 cum : *om. P* || ceterae : -ra *P*[1] *M* || spectent : -ant *HM P*[pc] expectent *B* || quia (rationem) : qui *HM* qua *P*[1] || 77 autem : + cum *RSg HM cf.* p. 16 || rectus sublimis uultus : *om. P* || 78 deo : *om. B*[1] dô *B*[3] || apparet : aperit *B*[1] *corr. B*[3]

1. Sur la démonologie de Lactance, on consultera E. SCHNEWEIS, *Angels and demons according to Lactantius* (*Studies in christian Antiquity* 3, Washington 1944); sur la rencontre entre démonologie païenne et

mer, est balloté par un vent furieux, c'est lui qu'il invoque; si quelqu'un est en butte à quelque violence, c'est lui surtout qu'il implore; si quelqu'un, réduit à l'extrême nécessité de mendier, quémande en suppliant sa nourriture, c'est Dieu seul qu'il prend à témoin, c'est par son nom divin et unique qu'il sollicite pour lui la miséricorde des hommes. **11.** Ils ne se souviennent donc jamais de Dieu, sauf quand ils sont dans le malheur; mais, une fois que la crainte les a quittés et que les périls se sont écartés, les voilà qui courent tout gaillards vers les temples des dieux, leur offrant des libations, des sacrifices, des couronnes. **12.** Quant à Dieu, qu'ils avaient imploré au milieu de leurs besoins, ils n'ont même pas une parole pour le remercier. Tant il est vrai que la prospérité engendre la mollesse, et que, de cette mollesse, naît, à l'instar de tous les vices, l'impiété à l'égard de Dieu!

13. Quelle peut en être la raison? Il n'y en a pas d'autre, à notre avis, que l'existence d'une puissance perverse, toujours acharnée contre la vérité, qui se réjouit des erreurs des hommes, et dont l'unique et perpétuelle occupation est de répandre les ténèbres, d'aveugler les esprits des hommes pour qu'ils ne voient pas la lumière, et que finalement ils ne lèvent pas les yeux vers le ciel et ne respectent même pas le caractère propre de leur corps[1].

L'homme debout pour contempler Dieu

14. De fait, alors que les autres êtres vivants ont le corps penché en avant et le regard fixé sur la terre, parce qu'ils n'ont reçu ni raison ni sagesse, nous avons reçu du Dieu artisan la station droite et un visage tourné vers le ciel : il est donc évident que ces

démonologie biblique, cf. J. BEAUJEU, éd. de Minucius Felix, *CUF*, p. 132.

2. Cf. p. 16.

esse rationis humanae, quia curuant caeleste animal ad
80 ueneranda terrena. **15.** Parens enim noster ille unus et
solus cum fingeret hominem, id est animal intellegens et
rationis capax, eum uero ex humo subleuatum ad contem-
plationem sui artificis erexit[a]. Quod optime ingeniosus
poeta signauit :

85 « Pronaque cum spectent animalia cetera terram,
Os homini sublime dedit caelumque uidere
Iussit et erectos ad sidera tollere uultus. »

16. Hinc utique ἄνθρωπον Graeci appellauerunt, quod
sursum spectet. Ipsi ergo sibi renuntiant seque hominum
90 nomine abdicant qui non sursum aspiciunt, sed deorsum :
nisi forte id ipsum quod recti sumus sine causa homini
adtributum putant. **17.** Spectare nos caelum Deus uoluit
utique non frustra. Nam et aues et ex mutis paene omnia
caelum uident, sed nobis proprie datum est caelum rigidis
95 ac stantibus intueri, ut religionem ibi quaeramus, ut Deum,
cuius illa sedes est[b], quoniam oculis non possumus, animo
contemplemur : quod profecto non facit qui aes aut
lapidem, quae sunt terrena, ueneratur. **18.** Est autem

FONTES : **15** OV. *met.* 1,84-86

79 caeleste : -em *HM* || 80 ille noster : ~ *Sg HM* || ille : + et *M* || 83 erexit : erexerit R || optime : -a *V*[1] || 85 pronaque : -quae *P*[1] || spectent : expectent *B*[1] *corr.* *B*[3] || 86 homini : -is *P* || uidere : -ri *HM* || 87 et erectos : erectosque *B* || 88 graeci : -e *H* -a *g* || 89 spectet : -at *M* || renuntiant : nuntiant *M* || 92 putant : putat *B*[1] || 93 mutis : multis *HM* || 96 sedes : *corr.* *B*[3] *qui scr.* sedis || quoniam : quem *g* || possumus [animo : *hic inc. codicis G p. 13 quae fere non legi potest* || 97 contemplemur : contemplatur *S* || qui : quia *H* || 98 terrenae : terrae R terra *V*

a. Gen. 2, 7. || b. Ps. 11, 4.

1. Sur ce développement, reprise d'un *topos* qui remonte à Platon, et que les latins connaissaient surtout par SALLUSTE (*Cat.* 1,1) et OVIDE (*met.* 1,84, que Lactance cite plus bas), voir M. PERRIN, *L'homme antique...*, p. 73 s., où l'on trouvera références et analyses des travaux antérieurs.

cultes qu'ils rendent aux dieux ne sont pas en accord avec la nature humaine, puisqu'ils inclinent un être céleste à vénérer des objets terrestres[1]. **15.** Car, lorsque notre seul et unique Père modelait l'homme, c'est-à-dire un être intelligent et doué de raison, il l'a effectivement arraché à la terre et l'a dressé pour qu'il le contemplât, lui, son créateur. C'est ce qu'a très bien exprimé un poète de talent :

> «Alors que, tête basse, tous les autres animaux regardent vers la terre, à l'homme il a donné un visage élevé, tourné vers le ciel, et il lui a ordonné de contempler le ciel, de dresser ses regards en direction des astres[2]...»

16. Voilà pourquoi les Grecs l'ont appelé *anthrôpos,* parce qu'il regarde vers le haut[3]. Ils se renient donc eux-mêmes et abdiquent leur titre d'hommes, ceux qui ne regardent pas vers le haut, mais vers le bas : à moins que, d'aventure, ils ne considèrent que c'est sans raison particulière que la station droite a été accordée à l'homme. **17.** Si Dieu a voulu que nous regardions vers le ciel, ce n'est pas sans raison. Car les oiseaux, ainsi que la plupart des bêtes brutes voient le ciel, mais, à nous, il a été donné en propre de fixer notre regard sur le ciel, en nous tenant fermement debout : cela pour que nous cherchions là-haut notre religion, et pour qu'avec notre esprit nous contemplions Dieu, qui a son siège là-haut, puisque nous ne pouvons le faire avec nos yeux. C'est précisément ce que ne fait pas celui qui vénère du bronze ou de la pierre, objets terrestres. **18.** Il

2. La citation et l'étymologie d'ἄνθρωπος qui lui fait suite sont reprises par ISID. *orig.* 11,1,5 ; sur la mise en œuvre du préambule des *Métamorphoses,* ici et en 2,5,2, voir A. GOULON «Les citations...», p. 134-135.

3. Pour expliquer ἄνθρωπος, Lactance pose l'équivalence *sursum spectare* = ἄνω ἀθρεῖν. En fait, on ignore l'étymologie du mot : cf. M. PERRIN, *L'homme antique...,* p. 408, n. 146.

prauissimum, cum ratio corporis recta sit, quod est tempo-
100 rale, ipsum uero animum, qui sit aeternus, humilem fieri, cum figura et status nihil aliud significet nisi mentem hominis eo spectare oportere quo uultum, et animum tam rectum esse debere quam corpus, ut id cui dominari debet imitetur. **19.** Verum homines et nominis sui et rationis
105 obliti oculos suos ab alto deiciunt soloque defigunt ac timent opera digitorum suorum, quasi uero quicquam esse possit artifice suo maius.

CAPVT II

1. Quae igitur amentia est aut ea fingere quae ipsi postmodum timeant, aut timere, quae finxerint? «Non ipsa, inquiunt, timemus, sed eos ad quorum imaginem ficta et quorum nominibus consecrata sunt.» – Nempe ideo
5 timetis quod eos in caelo esse arbitramini : neque enim, si dii sunt, aliter fieri potest. **2.** Cur igitur oculos non in caelum tollitis et aduocatis eorum nominibus in aperto sacrificia celebratis? Cur ad parietes et ligna et lapides potissimum quam illo spectetis ubi eos esse credatis? Quid
10 sibi templa, quid arae uolunt, quid denique ipsa simulacra, quae aut mortuorum aut absentium monumenta sunt? **3.** Nam omnino fingendarum similitudinum ratio idcirco

99 prauissimum : -us *R* || 100 qui : quae *V*[1] || 101 significet : -cent *Sg HM* || mentem : -te *S* || 102 uultum : -u *H* || et (animum) : *om. P* || 103 debet : det *R*[1] || 104 et nominis : *om. P* || rationis : -es *S P*[1] || 107 maius : *om. V*[1]

1 igitur amentia : mentia *V*[1] || 3 imaginem : -e *S* || ficta : facta *B P* || 5 arbitramini : -tremini *HM* || 7 et : sed *B* || eorum nominibus : ∼ *Sg* || 9 illo spectetis : illos petitis *B*[1] *corr. B*[3] || credatis : -itis *HM* || quid sibi... uolunt : *om. S* || 12 omnino : *hinc inc. codicis G pag. 14 quae paene tota legi potest* || fingendarum : -orum *B*

1. Cf. *supra* § 16.

est d'ailleurs totalement illogique que, tandis que le corps, qui n'a qu'un temps, connaît la station droite, l'esprit, qui est éternel, soit de son côté ravalé au niveau de la terre : en effet, cette allure et cette attitude signifient tout simplement que l'esprit de l'homme doit regarder là où regarde son visage, et que son âme doit être aussi droite que son corps, pour être semblable à ce qu'elle doit dominer. **19.** Mais les hommes oublient leur nom[1] et leur condition, ramènent leurs regards du ciel vers la terre et les fixent sur le sol, et craignent les œuvres de leurs propres doigts, comme si un objet quelconque pouvait être plus grand que celui qui l'a fabriqué.

CHAPITRE II

L'homme s'avilit en rendant un culte aux statues

1. Quelle folie, donc, soit de fabriquer des objets que, par la suite, ils auront eux-mêmes à redouter, soit de redouter ce qu'ils ont fabriqué ! «– Ce ne sont pas, disent-ils, les objets eux-mêmes que nous redoutons, mais les êtres à l'image de qui ils ont été fabriqués et au nom de qui ils ont été dédiés. » – En tout cas, si vous les redoutez, c'est parce que vous pensez qu'ils sont dans le ciel : car, s'ils sont dieux, il ne peut en être autrement. **2.** Pourquoi n'élevez-vous pas vos regards vers le ciel et n'invoquez-vous pas leur nom en célébrant des sacrifices à ciel ouvert ? Pourquoi diriger vos regards vers des murs, du bois et des pierres, plutôt que là où vous croyez qu'ils se trouvent ? A quoi bon des temples, à quoi bon des autels, à quoi bon même des statues, qui perpétuent le souvenir des morts ou des absents ? **3.** Car, si les hommes ont inventé le moyen de fabriquer des portraits ressemblants, c'était pour pouvoir

ab hominibus inuenta est ut posset eorum memoria retineri qui uel morte subtracti uel absentia fuerant separati.
15 **4.** Deos igitur in quorum numero reponemus? Si in mortuorum, quis tam stultus ut colat? si in absentium, colendi ergo non sunt, si nec uident quae facimus nec audiunt quae precamur. **5.** Si autem dii absentes esse non possunt, qui, quoniam diuini sunt, in quacumque parte
20 mundi fuerint, uident et audiunt uniuersa, superuacua sunt ergo simulacra, illis ubique praesentibus, cum satis sit audientium nomina precibus aduocare. **6.** – At enim praesentes non nisi ad imagines suas adsunt! – Ita plane! quemadmodum uulgus existimat mortuorum animas circa
25 tumulos et corporum suorum reliquias oberrare. **7.** Sed tamen postquam deus ille praesto esse coepit, iam simulacro eius opus non est. Quaero enim, si quis imaginem hominis peregre constituti contempletur saepius, et ex ea solacium capiat absentis, num idem sanus esse uideatur si,
30 eo reuerso et praesente, in contemplanda imagine perseueret eaque potius quam ipsius hominis aspectu frui uelit? Minime profecto. **8.** Et tamen hominis imago necessaria tum uidetur cum procul abest, superuacua futura cum praesto est : Dei autem, cuius numen ac spiritus
35 ubique diffusus abesse numquam potest, semper utique superuacua est.

13 posset : -it *BG* || 14 qui uel : ~ R || uel² : *om. P* || 16 in (absentium) : *om. HM* || 18 audiunt : -ent *HM* || 18 dii : di *G* || 22 audientium : -ibus *BG* || 24 quemadmodum : *om. S* || 28 contempletur : -atur R || saepius : saepe *Sg H* || et *codd.* : ut *Br.* || 30 contemplanda imagine : -am -em *BG* || 31 eaque : eaqua[e] *G* || 33 abest : + at *Sg* + ad *HM* || 34 futura cum pre[s]] : *sic des. codicis G pag. 14;* [presto : *sic inc. p. 15* || autem : est *S* enim *g* || numen : nomen *Sg HM P* || 35 numquam : nusquam *S* || utique : + imago *H* ubique imago *M*

1. Ce développement (depuis le § 3), est peut-être inspiré de Sénèque (cf. M. Lausberg, *Untersuchungen...*, p. 92-93).

conserver le souvenir soit de ceux qui leur avaient été arrachés par la mort, soit de ceux dont l'absence les avait séparés.

4. Alors, dans quelle catégorie allons-nous classer les dieux? Si c'est parmi les morts, qui sera assez bête pour leur rendre un culte? Si c'est parmi les absents, il n'y a pas lieu de leur rendre un culte, étant donné qu'ils ne voient pas nos actes et n'entendent pas nos prières. **5.** Mais, si les dieux ne peuvent être absents, puisque, étant donné qu'ils sont dieux, en quelque partie du monde qu'ils se trouvent, ils voient et entendent absolument tout, il s'ensuit que leurs statues sont bien inutiles, puisque, comme ils sont présents partout, il suffirait que, dans les prières, on précisât les noms de ceux que l'on invoque. **6.** – Mais leur présence n'est réelle que près de leurs statues! – D'accord! tout comme, aux yeux du peuple, les âmes des morts continuent à errer autour de leurs tombeaux et des restes de leurs corps. **7.** Cependant, dès lors que le dieu a commencé à être à notre portée, nous n'avons plus du tout besoin de sa statue. Supposons, en effet, que quelqu'un contemple sans cesse le portrait d'un homme installé à l'étranger, et se console ainsi de son absence : croira-t-on qu'il a bien toutes ses facultés, je vous le demande, si, une fois que l'autre est revenu et qu'il est en sa présence, il continue à contempler ce portrait et préfère profiter de celui-ci plutôt que de profiter de sa présence effective? Certainement pas. **8.** Et pourtant, alors que le portrait d'un homme paraît nécessaire quand celui-ci est au loin, et qu'il devient superflu quand celui-ci est tout proche, un portrait de Dieu, au contraire, dont la puissance et l'esprit sont répandues partout et ne peuvent jamais être absents, est toujours parfaitement superflu[1].

9. Sed uerentur ne omnis illorum religio inanis sit et uana, si nihil in praesenti uideant quod adorent, et ideo simulacra constituunt, quae, quia mortuorum sunt ima-
40 gines, similia sunt mortuis : omni enim sensu carent. **10.** Dei autem in aeternum uiuentis uiuum et sensibile debet esse simulacrum. Quod si a similitudine id nomen accepit, qui possunt ista simulacra Deo similia iudicari quae nec sentiunt nec mouentur? Itaque simulacrum Dei
45 non illud est quod digitis hominis ex lapide aut aere aliaue materia fabricatur, sed ipse homo[a], quoniam et sentit et mouetur et multas magnasque actiones habet.

11. Nec intellegunt homines ineptissimi quod, si sentire simulacra et moueri possent, ultro adoratura hominem
50 fuissent a quo sunt expolita, quae essent aut incultus et horridus lapis aut materia informis ac rudis, nisi fuissent ab homine formata. **12.** Homo igitur illorum quasi parens putandus est, per cuius manus nata sunt, per quem figuram, speciem, pulchritudinem habere coeperunt.
55 **13.** Et ideo melior qui fecit quam illa quae facta sunt. Et tamen factorem ipsum nemo suspicit aut ueretur : quae fecit timent, tamquam possit plus esse in opere quam in

38 uana : uacua *V* || in (praesenti) : *om. P* || 40 omni : -es *HM* || 41 uiuentis : -tes *P*[1] uiuens *H* || 42 a (similitudine) : ad *S* || 43 qui : quomodo *G HM* quô *g* || 45 illud est : ~ *P* || 46 sentit : + et mouet *R*[1] || 47 actiones : rationes *BG* || habet : -eat *G* -ent *HM* || 48 sentire simulacra : simulacra deorum sentirent *BG* || 49 adoratura : adoratur *B*[1] || hominem : -um *B*[1] || 50 quae : ut *g* || 51 informis : aformis *R*[1] || ac rudis : incrudis *R* || 53 putandus : putendus *V*[1] habendus *R* || manus : -u *B*[1]*G* -um *B*[3] || 56 factorem : -rum *HM* || suspicit : suscipiat *V* || ueretur : ueneratur *BG* || 57 fecit : + autem *B* facit *HM* facit autem *G* *post* autem *desin. G cod. pag. 15; sequitur pag. 16 in qua fere nihil legi potest*
RSg B HM PV
timent : -et *Rg HM P* || possit plus : ~ *g M* || in : *om. B*

a. Gen. 1, 26-27.

9. Mais ils craignent que tout le culte qu'ils leur rendent ne soit vain et sans valeur, s'ils n'ont eux-mêmes sous les yeux aucun objet qu'ils puissent adorer : voilà pourquoi ils dressent des statues. Et comme celles-ci représentent des morts, elles sont semblables à des morts : elles sont, en effet, complètement privées de sens. **10.** Or, un simulacre du Dieu qui vit éternellement doit être vivant et avoir des sens. Car si le mot simulacre vient de similitude, comment ces simulacres peuvent-ils être considérés comme semblables à Dieu, eux qui ne possèdent ni sensibilité ni mouvement? C'est pourquoi le simulacre de Dieu n'est pas l'objet qui est fabriqué par la main de l'homme avec de la pierre, du bronze, ou une autre matière, mais l'homme lui-même, puisqu'il a des sens, qu'il se meut et accomplit de nombreuses et importantes actions[1].

Ce sont les statues qui sont inférieures à l'homme

11. Ces hommes parfaitement ineptes ne comprennent pas que, si les statues pouvaient sentir et se mouvoir, elles devraient en outre adorer l'homme par qui elles ont été sculptées : car elles seraient restées à l'état de pierre brute et rugueuse ou de matière informe et grossière, si elles n'avaient pas reçu leur forme de l'homme. **12.** L'homme doit donc être considéré pour ainsi dire comme leur père, car c'est par ses mains qu'elles sont nées, c'est par lui qu'elles ont petit à petit pris forme, apparence, beauté. **13.** C'est pourquoi il est supérieur, lui qui a fait, à ces objets qui ont été faits. Et pourtant, personne ne s'intéresse au fabricateur lui-même, ou ne lui manifeste du respect : c'est de ce qu'il a fait qu'ils ont peur, comme s'il pouvait y

1. Sur ce lieu commun des littératures païenne et chrétienne, on trouvera de nombreuses références dans les éditions de Minucius Felix : M. Pellegrino, p. 235; J. Beaujeu, p. 146.

opifice. **14.** Recte igitur Seneca in *Libris Moralibus* : «Simulacra, inquit, deorum uenerantur, illis supplicant
60 genu posito, illa adorant, illis per totum adsident diem aut adstant, illis stipem iaciunt, uictimas caedunt : et cum haec tanto opere suspiciant, fabros qui illa fecere contemnunt. **15.** Quid inter se tam contrarium quam statuarium despicere, statuam adorare, et eum ne in conuictum quidem
65 admittere qui tibi deos faciat?»

Quam ergo uim, quam potestatem habere possunt, cum ipse qui fecit illa non habeat? Sed ne haec quidem dare his potuit quae habebat, uidere, audire, loqui, moueri. **16.** Quisquamne igitur tam ineptus est ut putet aliquid
70 esse in simulacro dei in quo ne hominis quidem quicquam est praeter umbram? Sed haec nemo considerat : infecti sunt enim persuasione ac mentes eorum penitus fucum stultitiae perbiberunt. **17.** Adorant ergo insensibilia qui sentiunt, irrationabilia qui sapiunt, exanima qui uiuunt,
75 terrena qui oriuntur a caelo. **18.** Iuuat igitur uelut in aliqua sublimi specula constitutum, unde uniuersi exaudire possint, Persianum illud proclamare :

«O curuae in terras animae et caelestium inanes!»

FONTES : **14** SEN. *frg.* 120 **18** PERS. 2,61

58 igitur : enim *HM* || 60 aut : *om.* *V* || adstant : stant B^1 *corr.* B^3 || 62 suspiciant : suscipiant R *P* susant V^1 || 63 despicere : dispicere *B* || 64 statuam : statutus S^1 statuta S^2 statuamque *g* || 68 his : is *S* HM^1 *corr.* M^2 iis R *Br.* diis *P* || 70 ne : nec *P* || hominis : -es B^1 || 72 persuasione : + uana *Br.* cf. p. 217 || fucum *codd.* : sucum *Br.* cf. p. 217 || 73 perbiberunt : perhiberunt *g* peruiderunt *B* || 74 inrationabilia : inrationalia R *V* || exanima : -mata *B* || 75 a : e *H* || caelo : dô *P* || iuuat : iubat *H* || 76 sublimi : -is *P* || specula : spectacula B^1 *corr.* B^3 || unde : + uel *S HM* || 77 possint : possunt *HM* || illud : illû *Sg* || proclamare : + o curas hominum o *(om. Sg)* quantum est in rebus inane (= PERS. 1,1) *Sg P* || 78 o curuae... inanes : *om.* *P* || in terras : inter has *g* || terras : -is *B Br. cum codd. Persii* cf. p. 217

avoir plus dans l'œuvre que dans l'ouvrier. **14.** Sénèque a donc bien raison de dire, dans ses *Livres de morale* : « Ils vénèrent les statues des dieux, ils les supplient à genoux, ils les adorent, ils restent assis ou debout devant elles pendant une journée entière, ils leur présentent des offrandes, ils leur sacrifient des victimes ; et, tout en les regardant avec tant d'admiration, ils méprisent les ouvriers qui les ont faites. **15.** Qu'y a-t-il de plus contradictoire que de mépriser le statuaire et d'adorer la statue ? de ne même pas vouloir admettre en ta compagnie celui qui te fabrique tes dieux[1] ? »

Quelle puissance, quel pouvoir peuvent-il détenir, quand celui qui les a faits n'en détient pas lui-même ? Bien plus, il n'a même pas été capable de leur donner ceux qu'il possédait : celui de voir, entendre, parler, se mouvoir. **16.** Y a-t-il donc quelqu'un d'assez bête pour croire qu'il y a quelque puissance dans une statue de dieu, dans laquelle il n'y a rien d'autre de l'homme que son ombre ? Mais, à cela personne ne réfléchit : ils ont été empoisonnés par leur croyance, et leurs esprits se sont complètement imbibés d'une teinture de sottise. **17.** Ils adorent donc des choses insensibles, eux qui sont doués de sensibilité, des choses sans raison, eux qui sont doués de raison, des choses inanimées, eux qui sont vivants, des choses nées de la terre, eux qui sont nés du ciel[2]. **18.** On a donc envie, comme si l'on était installé sur quelque sommet élevé d'où tout le monde puisse entendre, de crier ce vers de Perse :

« Ames courbées vers la terre et vides de ce qui est

1. Les éditeurs de Lactance considèrent généralement que la citation de Sénèque s'arrête après *contemnunt* (fin du § 14). Avec M. LAUSBERG, (*Untersuchungen...*, p. 186-188), nous admettons que la phrase suivante est également empruntée à Sénèque, et que Lactance ne reprend la parole qu'avec les mots « Quam *ergo* uim... ».

2. Sur cet autre lieu commun, référence dans l'édition de Minucius Felix par M. PELLEGRINO, p. 185.

caelum potius intuemini, ad cuius spectaculum uos exci-
80 tauit ille artifex uester, Deus. **19.** Ille uobis sublimem
uultum dedit, uos in terram curuamini, uos altas mentes et
ad parentem suum cum corporibus erectas ad inferiora
deprimitis tamquam uos paeniteat non quadrupedes esse
natos. **20.** Fas non est caeleste animal cum terrenis in
85 terramque uergentibus coaequari. Quid uos beneficiis caelestibus orbatis pronique in humum uestra sponte procum-
bitis? Humi enim miseri uolutamini, cum deorsum quae-
ritis quod in sublimi quaerere debuistis. **21.** Nam ista
mortalium digitorum ludicra et fragilia figmenta ex quo-
90 libet materiae genere formata, quid aliud sunt nisi terra ex
qua nata sunt? **22.** Quid ergo rebus inferioribus subia-
cetis? Quid capitibus uestris terram superponitis? Cum
enim uos terrae submittitis humilioresque facitis, ipsi uos
ultro ad inferos mergitis ad mortemque damnatis, quia
95 nihil est inferius et humilius terra nisi mors et inferi.
23. Quae si effugere uelletis, subiectam pedibus uestris
terram contemneretis corporis statu saluo, quod idcirco
rectum accepistis ut oculos atque mentem cum eo qui fecit
conferre possetis. **24.** Contemnere autem et calcare ter-
100 ram nihil aliud est quam simulacra non adorare, quia de
terra ficta sunt, item diuitias non concupiscere, uoluptates
corporis spernere, quia opes et corpus ipsum cuius hos-

FONTES : **19** *Cf.* CYPR. *Demet.* 16

79 potius : *om.* *P* || ad : a *B*¹ || spectaculum : exspectaculum *V* || uos : uox *V*¹ || 81 uultum : -us *B* || altas : -a *S* || 82 corporibus : + suis *V Br.* || 83 uos paeniteat non quadrupedes : p. u. q. n. *Sg HM* || 88 quod : quos *B*¹ || 89 digitorum : *om.* *P* || ex : et *P* || 90 aliud sunt : *om.* *V*¹ || ex : *om.* *P*¹ || 91 subiacetis : subicitis *R* || 93 enim : ergo *V* || terrae : -a *P*¹ || humilioresque facitis : *om.* *P* || 94 ad² : *om.* *P* || 95 et¹ *om.* *P*¹ *corr.* *P*² || humilius : -lis *S*¹ || 96 uelletis : uellitis *H V*¹ || 98 ut : quo *V Br.* || 99 possetis : possitis *B P* || 100 quia : quae *HM* || 101 ficta : facta *g HM* || uoluptates : -atem *HM* -atis *P*¹ uoluntates *V* || 102 quia : + et *M* || ipsum : *om.* *P*¹

céleste», regardez plutôt le ciel : c'est pour que vous le contempliez que Dieu, votre créateur, vous a mis debout ! **19.** Lui, il vous a donné un visage tourné vers le ciel, vous, vous le courbez vers la terre ; vos esprits sublimes, dressés vers leur père en même temps que leurs corps, vous les contraignez à s'abaisser, comme si vous regrettiez de n'être pas nés quadrupèdes. **20.** C'est un sacrilège qu'un être céleste soit ramené au même niveau que des êtres terrestres et tournés vers la terre. Quelle idée de vous priver de vos avantages célestes et de vous prosterner, de votre plein gré, le visage contre terre ? Car, malheureux, vous vous roulez bien à terre, lorsque vous recherchez plus bas que vous ce que vous auriez dû chercher dans les hauteurs. **21.** De fait, ces amusements dérisoires de mains mortelles, ces objets fragiles modelés avec n'importe quelle espèce de matière, qu'est-ce d'autre que de la terre, la terre dont ils sont nés ? **22.** Pourquoi donc vous soumettre à des objets inférieurs ? Pourquoi placer de la terre au-dessus de vos têtes ? Car, lorsque vous vous soumettez à la terre et que vous vous avilissez, vous vous engloutissez vous-mêmes dans les enfers et vous vous condamnez à mort, car rien n'est plus bas, rien n'est plus vil que la terre, sinon la mort et les enfers.

23. Mais, si vous vouliez leur échapper, vous mépriseriez la terre placée sous vos pieds, en respectant l'attitude de votre corps, que vous avez reçu dressé, à seule fin que vous puissiez porter vos yeux et votre esprit au niveau de celui qui vous a faits. **24.** Or, mépriser et fouler la terre, c'est tout simplement ne pas adorer les statues, parce qu'elles sont modelées avec de la terre ; c'est aussi ne pas désirer les richesses, mépriser les plaisirs du corps, puisque ces biens, ainsi que le corps qui nous donne l'hospitalité, ne

pitio utimur terra est[b]. Viuum colite ut uiuatis : moriatur enim necesse est qui se suamque animam mortuis adiudi-
105 cauit.

CAPVT III

1. Sed quid prodest ad uulgus et ad homines imperitos hoc modo contionari, cum uideamus etiam doctos ac prudentes uiros, cum religionum intellegant uanitatem, nihilo minus tamen in his ipsis quae damnant colendis
5 nescio qua prauitate perstare? Intellegebat Cicero falsa esse quae homines adorarent. **2.** Nam cum multa dixisset quae ad euersionem religionum ualerent, ait tamen «non esse illa uulgo disputanda, ne susceptas publice religiones disputatio talis extinguat». **3.** Quid eo facias qui, cum
10 errare se sentiat, ultro ipse in lapides impingat ut populus omnis offendat, ipsi sibi oculos eruat ut omnes caeci sint? Qui nec de aliis bene mereatur quos patitur errare, nec de se ipso qui alienis accedit erroribus, nec utitur tandem sapientiae suae bono, ut factis impleat quod mente per-

FONTES : **2** CIC. *nat. deor. frg.*

104 adiudicauit : -abit *B* -auerit R
1 prodest : prodeest *B* || 4 tamen : *om. B* || his : iis R *Br. om. B* || 5 prauitate : -tare B^1 || perstare : prestare *V M* || intellegebat : -igebat *g* egant *V* || falsa : -e R^1 || 6 dixisset : -sent P^1 || 7 ad euersionem : a diuersionem P^1 *V* uersionem *S* || 8 susceptas : -a *S* || 9 quid : + de *g* || eo : ei B^3 (eo B^1) || facias : factas *P* || 10 se *om.* B^1 *add.* B^3 || 12 nec[1] : ne *g* || mereatur : mercatur R^1 *corr.* R^2 || nec[2] : ne *S* || 13 se (ipso) : *om. M* || qui : + de *HM* || accedit : accendit *HM* ac *exp.* B^3 || 14 sapientiae : -a P^1

b. Gen. 2, 7.

1. CIC. *nat. deor., frg.* Tous les éditeurs de Cicéron pensent qu'il s'agit d'un fragment du livre III. Les uns (Ax, Plasberg) considèrent qu'il a sa

sont que de la terre. Adorez le vivant, si vous voulez vivre : car il meurt nécessairement celui qui, avec son âme, s'est livré à des morts.

CHAPITRE III

Même ceux qui ne croient pas aux dieux pratiquent le culte officiel

1. Mais à quoi bon adresser un discours de ce genre à des gens du commun et à des hommes incultes, quand nous voyons que même des personnes instruites et avisées, une fois qu'elles ont compris la vanité de leurs cultes, persistent néanmoins, par je ne sais quelle aberration, à adorer précisément ce qu'elles condamnent? Cicéron comprenait bien que tout ce qu'adorent les hommes n'est qu'imposture. **2.** De fait après avoir dit beaucoup de choses capables de renverser les religions, il a cependant ajouté que «tout cela ne devait pas être discuté en public, de peur que pareille discussion ne vienne à éteindre les cultes pratiqués officiellement[1]». **3.** Que peut-on tirer d'un homme qui, quand il se rend compte qu'il se fourvoie, se jette en outre lui-même contre des murs pour que tout le peuple vienne s'y briser[2], et s'arrache lui-même les yeux, pour que tous soient aveugles? Qui ne rend aucun service aux autres, puiqu'il les laisse se fourvoyer, ni à lui-même, puisqu'il se rallie aux erreurs d'autrui, et ne se sert finalement pas de la sagesse qu'il a reçue en don pour faire passer dans ses actes ce que

place dans la célèbre lacune de 3,25,65 ; les autres (Pease, Gerlach-Bayer, Van den Bruwaene) se contentent de le donner en annexe.

2. *Lapides* pourrait désigner les statues des dieux, comme dans MIN. FEL. 3,1 (le *ThLL* met les deux passages en parallèle); toutefois, la seconde partie de la phrase montre qu'il s'agit simplement ici d'illustrer

15 cepit, sed prudens et sciens pedem laqueo inserit, ut simul cum ceteris quos liberare ut prudentior debuit et ipse capiatur.

4. Quin potius, si quid tibi, Cicero, uirtutis est, experire populum facere sapientem. Digna res est ubi omnes 20 eloquentiae tuae uires exseras. Non enim uerendum est ne te in tam bona causa deficiat oratio, qui saepe etiam malas copiose ac fortiter defendisti. **5.** Sed nimirum Socratis carcerem times, ideoque patrocinium ueritatis suscipere non audes. At mortem ut sapiens contemnere debuisti, et 25 erat multo pulchrius ut ob benedicta potius quam ob maledicta morereris, nec plus tibi laudis *Philippicae* adferre potuerunt quam discussus error generis humani et mentes hominum ad sanitatem tua disputatione reuocatae. **6.** Sed concedamus timiditati, quae in sapiente esse non 30 debet : quid ergo ipse in eodem uersaris errore? Video te terrena et manu facta uenerari : uana esse intellegis, et tamen eadem facis quae faciunt hii quos ipse stultissimos confiteris. **7.** Quid igitur profuit uidisse te ueritatem quam nec defensurus esses nec secuturus?

35 Sed libenter errant etiam hii qui errare se sentiunt : quanto magis uulgus indoctum quod pompis inanibus gaudet animisque puerilibus spectat omnia, oblectatur friuolis et specie simulacrorum capitur nec ponderare

16 et (ipse) : *om.* *P* || 18 quin : qui *V*[1] || si : *om.* *V* || 20 res : re R || ubi : ut *Sg* || bona : -â *Sg* -o P[1] || causa : -â *Sg* || malas : alias P[1] || 22 sed : et *HM* || 26 maledicta : + morte *B* || morereris : morerere R *P Br.* morere *V* || 28 disputatione : dispositione *B HM* || 30 errore : -rem R[1] || te : *om.* *H* || 31 facta : + adorare *HM* || 32 hii : hi R[2]*S H PV* ii R[1] *Br.* || 35 sed : si *B* || hii : hi R[2]*S H PV* ii R[1] *Br.* || errare se : errari R *V* || 37 spectat : exspectat *B* || friuolis : fribolis R[1] *B HM* friuulis *V*

l'obstination aveugle des païens, et que *lapides* n'est là que pour symboliser la dureté d'un obstacle.

son esprit a bien compris, mais qui, en parfaite connaissance de cause, met son pied dans le piège, de façon à se faire prendre lui-même avec tous les autres, qu'il aurait dû délivrer puisqu'il est plus avisé?

4. Allons, Cicéron, si tu as un peu de courage, tente plutôt de rendre le peuple sage. L'entreprise mérite que tu fasses apparaître toutes les ressources de ton éloquence. Car il n'y a pas à craindre que l'inspiration ne te manque pour une si bonne cause, toi qui en as même souvent défendu de mauvaises avec une abondante vigueur. **5.** Mais sans doute redoutes-tu la prison de Socrate, et c'est pour cette raison que tu n'oses pas te charger de la défense de la vérité. Cependant, en tant que sage, tu aurais dû mépriser la mort; il eût d'ailleurs été beaucoup plus beau pour toi de mourir pour des paroles bienfaisantes que pour des malédictions : tu ne pouvais acquérir plus de gloire en prononçant les *Philippiques* qu'en dissipant l'erreur du genre humain et en ramenant, par ton argumentation, les esprits des hommes à de saines dispositions. **6.** Bien! Mettons cela sur le compte de la crainte (qui pourtant ne doit pas exister chez le sage!). Mais alors, pourquoi rester, toi aussi, dans cette même erreur? je vois que tu vénères des objets de terre, fabriqués par une main : tu te rends compte que c'est une imposture, et pourtant tu fais exactement ce que font ceux dont tu dis toi-même qu'ils sont parfaitement stupides. **7.** A quoi t'aurait-il donc servi de voir la vérité, puisque tu ne l'aurais ni défendue ni suivie?

A plus forte raison les gens du peuple

Mais même ceux qui se rendent compte qu'ils se trompent ont du plaisir à se tromper : combien plus encore un peuple inculte, qui trouve son plaisir dans de vaines pompes, regarde tout avec un esprit puéril, se réjouit de spectacles frivoles et se laisse prendre à l'appa-

secum unam quamque rem potest, ut intellegat nihil
40 colendum esse quod oculis mortalibus cernitur, quia mortale sit necesse est, **8.** nec mirandum esse si Deum non uideat, cum ipsi ne hominem quidem uideant quem uidere se credant. Hoc enim quod oculis subiectum est non homo, sed hominis receptaculum est : cuius qualitas et figura non
45 ex liniamentis uasculi quo continetur, sed ex factis ac moribus peruidetur. **9.** Qui ergo colunt simulacra corpora sunt hominibus carentia, quia se corporalibus dediderunt, nec uident plus aliquid mente quam corpore, cum sit animi officium ea subtilius cernere quae acies corporalis
50 non potest intueri.

10. Quos homines idem ille philosophus ac poeta grauiter accusat tamquam humiles et abiectos, qui contra naturae suae rationem ad ueneranda se terrena prosternant. Ait enim :

55 «Et faciunt animos humiles formidine diuum
Depressosque premunt ad terram.»

Aliud quidem ille, cum haec diceret, sentiebat, nihil utique colendum esse, quoniam dii humana non curent. **11.** Denique alio loco religiones et cultus deorum inane
60 esse officium confitetur :

«Nec pietas ulla est uulgatum saepe uideri
Vertere se ad lapidem atque omnis accedere ad aras

FONTES : **9** *Cf.* CIC. *ac.* 1,8,30 **10** LVCR. 6,52-53 **11** LVCR. 5,1198-1202

40 quod : quia quod R || quia : *om.* R || 41 esse : est *Br.* cf. p. 217 || 42 uideat : -ant *H* -anṭ *M* || quem : quô *P*[1] quam *V*[1] || 43 credant : -ent *M*[ac] -unt *V Br.* || 45 factis : -a R || ac : ex R et *g P* || 46 moribus : + quo *g* || corpora : -ibus *HM* || 47 dediderunt : -erant *H* || 49 corporalis : corporis *HM* || 51 ille : *om. Sg HM* || ac : et *Sg* || 53 rationem : -e *S* || prosternant : -unt *Sg HM* || 54 ait enim : enim *B*[1] ut e. *B*[2] || 57 diceret : -re *Sg* || nihil utique : ~ *Sg M* || 61 uulgatum R *B* uelatumst *codd. LVCR.* velatum *Br.* || 62 uertere se : ueteres se *S* uertier *codd. LVCR.* cf. p. 218 || lapidem : -es *Sg HM* || omnis : -es *B HM P* os *g*

rence des statues, sans pouvoir déterminer lui-même le poids de chaque chose, de façon à comprendre que rien ne mérite un culte, de tout ce qu'on peut voir avec des yeux mortels, car cela est nécessairement mortel, **8.** et qu'il n'y a rien d'étonnant à ce qu'il ne voie pas Dieu, puisque les gens ne voient même pas non plus l'homme qu'ils pensent voir. En effet, ce qui tombe sous le regard, ce n'est pas l'homme, mais c'est l'enveloppe de l'homme[1] : tandis que la qualité de son être et son vrai visage, ce ne sont pas les lignes du vase où il est contenu, mais ses actes et sa conduite qui les révèlent. **9.** Ceux donc qui adorent des statues ne sont que des corps dépourvus d'humanité, puisqu'ils se sont soumis à des corps et ne voient rien de plus par leur intelligence que par leurs corps, alors que la fonction de l'esprit est de discerner plus subtilement ce que le regard du corps ne peut pas voir.

Les accusations de Lucrèce contre les cultes

10. Ces gens-là, un philosophe bien connu, qui est aussi poète, les accuse durement de bassesse et d'abjection, étant donné qu'ils vont à l'encontre de leur propre nature et se prosternent pour vénérer des objets de terre. Il dit, en effet :

«Ils abaissent leurs esprits par crainte des dieux, les pressent et les oppressent contre la terre.» Il est vrai qu'en disant cela, celui-ci avait une autre idée, c'est que rien ne mérite un culte, puisque les dieux ne s'occupent pas des affaires humaines. **11.** Enfin, dans un autre passage, il proclame que les religions et les cultes rendus aux dieux ne sont que vaines obligations :

«La piété, ce n'est pas se faire voir à tout moment, par tout le peuple, en train de se tourner vers une pierre, de

1. Sur l'utilisation de cette image avant Lactance, voir J. DOIGNON, *Hilaire de Poitiers avant l'exil,* Paris 1971, p. 310, n. 1-3.

Et procumbere humi prostratum et pandere palmas
Ante deum delubra nec aras sanguine multo
65 Spargere quadrupedum nec uotis nectere uota.»
Quae profecto si cassa sunt, non oportet sublimes et excelsos animos auocari atque in terram premi, sed nihil aliud quam caelestia cogitare.

12. Impugnatae sunt ergo a prudentioribus falsae reli-
70 giones, quia sentiebant esse falsas, sed non est inducta uera, quia qualis aut ubi esset ignorabant. **13.** Itaque sic habuerunt tamquam nulla esset omnino, quia ueram non poterant inuenire, et eo modo inciderunt in errorem multo maiorem quam illi qui falsam tenebant. **14.** Nam
75 isti fragilium cultores quamuis sint inepti, quia caelestia constituunt in rebus corruptibilibus atque terrenis, aliquid tamen sapientiae retinent et habere ueniam possunt, qui summum hominis officium etsi non re ipsa, tamen proposito tenent, siquidem hominum atque mutorum uel solum
80 uel certe maximum in religione discrimen est.

15. Hi uero quanto fuerunt sapientiores, quod intellexerunt falsae religionis errorem, tanto sunt facti stultiores, quod esse aliquam ueram non putauerunt. **16.** Itaque quoniam facilius est de alienis iudicare quam de suis, dum
85 aliorum praecipitium uident, non prospexerunt quid ante

63 prostratum : -tu *S* || deum delubra : ~ *B* || 65 nectere : uecte*re (r *eras.)* R || 71 qualis : -es *P*1 || 73 poterant : potuerant *H* || eo modo : eodem *P* || 75 fragilium : -li *P*1 || quamuis : quam *P*1 || quia : qui *Sg B HM* || 77 tamen : + se habere *P* || 78 re : res *S* || 81 hi : hii *g P* || 82 religionis : -es *P*1 || errorem : -re *S* || 84 quoniam : quia *S HM* || 85 prospexerunt : prosperunt *P*1

s'approcher de tous les autels, de se pencher en avant, prosterné sur le sol, d'étendre les paumes ouvertes vers les temples des dieux, d'asperger les autels du sang des quadrupèdes et d'enchaîner les vœux aux vœux.»

Si tout cela est inutile, il ne faut pas dévoyer nos esprits sublimes et élevés pour les écraser contre terre, mais il faut ne penser qu'aux choses célestes.

On ne peut départager ceux qui pratiquent et ceux qui ne pratiquent pas le culte des dieux

12. Les fausses religions ont donc été combattues par des intellectuels qui sentaient qu'elles étaient fausses; mais cela ne les a pas conduits à la vraie, parce qu'ils ignoraient ce qu'elle était et où elle était. **13.** C'est pourquoi ils ont fait comme s'il n'y en avait absolument aucune, parce qu'ils ne pouvaient découvrir la vraie; et c'est ainsi qu'ils sont tombés dans une erreur encore pire que ceux qui en soutenaient une fausse. **14.** Car les autres, qui adorent des objets périssables, ont beau être stupides, parce qu'ils placent les valeurs célestes dans des objets corruptibles et terrestres, ils gardent toutefois un cantinet de sagesse et peuvent obtenir le pardon : en effet, ils conservent, sinon en réalité, du moins dans leur intention, la fonction essentielle de l'homme, s'il est vrai que la différence unique, ou du moins essentielle, entre les hommes et les bêtes brutes, réside dans la religion.

15. Quant aux autres, s'ils ont bien montré qu'ils étaient plus sages, en comprenant l'erreur de la fausse religion, ils se sont montrés d'autant plus sots en ne pensant pas qu'il en existe une véritable. **16.** Voilà pourquoi, étant donné qu'il est plus facile de juger des affaires d'autrui que des siennes propres, tout en voyant le précipice sous les pas des autres, ils n'ont pas aperçu ce qu'il y avait devant leurs

pedes suos esset. **17.** In utraque igitur parte et summa stultitia inuenitur et odor quidam sapientiae, ut possis dubitare quos dicas potissimum stultiores, illosne qui falsam religionem suscipiunt an eos qui nullam.

90 **18.** Sed, ut dixi, uenia concedi potest imperitis et qui se sapientes non esse fateantur : his uero non potest qui, sapientiam professi, stultitiam potius exhibent[a]. **19.** Non sum equidem tam iniquus ut eos putem diuinare debuisse ut ueritatem per se ipsos inuenirent, quod ego fieri non 95 posse confitear, sed hoc ab his exigo quod ratione ipsa praestare potuerunt[b]. **20.** Facerent enim prudentius, si et intellegerent esse aliquam ueram <religionem> et falsis impugnatis aperte pronuntiarent eam quae uera esset ab hominibus non teneri. Sed mouerit eos fortasse illud quod, 100 si qua esset uera religio, exereret se ac uindicaret nec pateretur esse aliud quicquam. **21.** Videre enim nullo modo poterant quare aut a quo et quemadmodum religio uera opprimeretur, quod est diuini sacramenti et caelestis arcani : id uero nisi doceatur, aliquis scire nullo pacto 105 potest.

86 pedes suos : ~ R || 90 imperitis : -i P^1 || et : *om. g HM* || 91 sapientes : -tis *V* || fateantur : -entur *HM* || his : hiis *g* iis R^1 *P Br.* || 93 putem : -es *S* || diuinare : -ari *B* || 94 se : *om. H* || 95 confitear : -eor *Sg HM* || his : hiis *g* iis R^1 *corr.* R^2 *Br.* || 96 et (intellegerent) : *om. g HM* || 97 ueram : *om. B* || religionem : *add. edd. Ald. Br.* || 98 uera : -am *M* || esset : + et *P* || 99 quod : *om.* R *HM* || 100 esset : esse P^1 || ac uindicaret : aduindicaret HM^1 || 101 uidere : -eri *HM* || 102 poterant : -erat *HM* || et : aut *B* || 103 opprimeretur : -metur *g*

a. I Cor. 3, 19. || b. Rom. 1, 19-21.

1. Lieu commun (cf. A. OTTO, *Sprichwörter...*, p. 13) dont l'expression s'accompagne le plus souvent de l'image de la besace, mais dont on

propres pieds[1]. **17.** On trouve donc, de chaque côté, à la fois une très grande sottise et aussi un brin de sagesse, si bien que l'on hésiterait à dire lesquels sont les plus stupides, ceux qui adoptent une religion fausse ou ceux qui n'en adoptent point.

Les plus instruits sont les plus coupables

18. Mais, comme je l'ai dit, on peut accorder une excuse à ceux qui ne sont pas instruits et qui ne se proclament pas sages; mais on ne peut en accorder à ceux qui proclament leur sagesse et étalent plutôt leur sottise[2]. **19.** En vérité, je ne suis pas assez injuste pour croire qu'ils auraient dû avoir assez d'inspiration pour trouver par eux-mêmes la vérité, car je reconnais que c'est impossible, mais j'exige d'eux ce qu'ils auraient pu établir par leur seule raison. **20.** Car ils feraient preuve de plus de pénétration s'ils comprenaient qu'il existe une véritable religion et si, après avoir combattu les fausses, ils proclamaient ouvertement que les hommes ne détiennent pas celle qui est véritable. Mais ce qui les a peut-être ébranlés c'est l'idée que, s'il existait une religion véritable, elle se manifesterait, revendiquerait sa place, et ne supporterait pas qu'il en existât une autre. **21.** Car ils ne pouvaient d'aucune manière voir pourquoi, par qui et comment la véritable religion était opprimée, puisque cela relève d'un révélation divine et d'un secret céleste : et, pour peu que cela ne soit pas enseigné, nul ne peut le connaître, par quelque moyen que ce soit.

trouve une formulation analogue à celle de Lactance chez TER. *Heaut.* 503 : «Aliena ut melius uideant et diiudicent quam sua».

2. Opposition paulinienne entre l'apparente *stultitia* des chrétiens et la prétendue *sapientia* des païens (*I Cor.* 3, 19), à laquelle Lactance se réfère à plusieurs reprises (*ir.* 1,2; 12,1; *inst.* 5,15,8, où le texte de Paul est cité).

22. Summa rei haec est. Imperiti et insipientes falsas religiones pro ueris habent, quia neque ueram sciunt neque falsas intellegunt; prudentiores autem, quia ueram nesciunt, aut in his quas falsas esse intellegunt perseuerant, ut
110 aliquid tenere uideantur, aut omnino nihil colunt, ne incidant in errorem, cum id ipsum maximi sit erroris, uitam pecudum sub figura hominis imitari. **23.** Falsum uero intellegere est quidem sapientiae, sed humanae : ultra hunc gradum procedi ab homine non potest, itaque
115 multi philosophorum religiones, ut docui, sustulerunt. Verum autem scire diuinae sapientiae est; homo autem per se ipsum peruenire ad hanc scientiam non potest, nisi doceatur a Deo. **24.** Ita philosophi quod summum fuit humanae sapientiae adsecuti sunt, ut intellegerent quid
120 non sit; illud adsequi nequiuerunt, ut dicerent quid sit. Nota Ciceronis uox est : « Vtinam tam facile uera inuenire possem quam falsa conuincere! » **25.** Quod quia uires humanae condicionis excedit, eius officii facultas nobis adtributa est, quibus tradidit Deus scientiam ueritatis.
125 Cui explicandae quattuor posteriores libri seruient : nunc interim falsa ut coepimus detegamus.

FONTES : **24** CIC. *nat. deor.* 1,32,91

107 sciunt : sciuet R[1] || 108 falsas *scripsi* : -am *codd.* cf. p. 218 || ueram : -a *V* || 109 ut : + aut *P* || 111 incidant : -ent *V* || id : *om.* *PV*[1] || 112 figura : -am *HM* || 114 procedi : progredi *HM* || 115 sustulerunt : sustinerunt R[1] + falsas esse sciuerunt R[2] || 118 ita : itaque *g HM om. V* || 119 sapientiae : *om.* *P*[1] || 120 nequiuerunt : nequierunt *R*[1]*S P* neuerunt *H* || 122 possem : -im *codd. CIC.* || uires : utras *V*[1]

L'homme sans Dieu incapable de vérité

22. Voici donc l'essentiel de la question. Les ignorants et les sots tiennent pour vraies les fausses religions parce qu'ils ignorent la vraie et ne comprennent pas les fausses; les gens plus avisés, au contraire, ignorant la vraie, ou bien persévèrent dans celles qu'ils savent être fausses, pour faire croire qu'ils détiennent quelque chose, ou bien ne pratiquent plus aucun culte pour ne pas tomber dans l'erreur, bien que le comble de l'erreur consiste, quand on a une figure humaine, à imiter la vie des bêtes. **23.** Discerner ce qui est faux relève de la sagesse, mais de la sagesse humaine : il n'est pas possible à l'homme d'aller au-delà de ce degré : c'est pourquoi beaucoup de philosophes ont, comme je l'ai expliqué, tenté de détruire les religions. Mais connaître le vrai relève d'une sagesse divine; et l'homme ne peut pas parvenir par lui-même à cette connaissance, si elle ne lui est pas indiquée par Dieu. **24.** Ainsi les philosophes ont-ils atteint ce qui constitue le sommet de la sagesse humaine, discerner ce qui n'est pas; mais ils n'ont pas pu parvenir à dire ce qui est. On connaît le mot de Cicéron : « Si au moins il m'était aussi facile de trouver la vérité que de dénoncer l'erreur[1] ! » **25.** Mais comme cela dépasse les forces humaines, la possibilité d'accomplir cette tâche nous a été accordée, à nous, à qui Dieu a donné la connaissance de la vérité. Nous l'exposerons dans les quatre derniers livres. Pour l'instant, continuons à dévoiler les supercheries.

1. Lactance cite encore cette phrase en *ir.* 11,10, en substituant, comme ici, l'irréel *possem* au potentiel *possim* du texte cicéronien.

CAPVT IV

1. Quid igitur maiestatis possunt habere simulacra quae fuerunt in homunculi potestate uel ut aliud fierent uel ut omnino ne fierent? Idcirco apud Horatium Priapus ita loquitur :

5 «Olim truncus eram ficulnus, inutile lignum
Cum faber incertus scamnum faceretne Priapum
Maluit esse deum. Deus inde ego, furum auiumque
Maxima formido.»

Quis non sit hoc tanto custode securus? **2.** Fures enim 10 tam stulti sunt ut Priapi tentiginem timeant, cum aues ipsae, quas terrore falcis aut inguinis abigi existimant, simulacris fabre factis, id est hominum plane similibus, insidant, nidificent, inquinent? **3.** Sed Flaccus, ut satirici carminis scriptor, derisit hominum uanitatem, uerum hi 15 qui faciunt seriam rem facere se opinantur. **4.** Denique poeta maximus, homo in ceteris prudens, in hoc solo non poetice, sed aniliter desipit, cum in illis emendatissimis libris etiam fieri hoc iubet :

«Et custos furum atque auium cum falce saligna

FONTES : 1 HOR. *sat.* 1,8,1-4 2 *Cf.* TERT. *apol.* 12,7; ARN. *nat.* 6,16 4 VERG. *georg.* 4,110-111

2 aliud : aliquod *B* || 3 ne fierent : non fierent *B* effigerent *S* non effierent *P* || 6 incertus : -um *P* || 7 deus : *om. HM* || ego : *om.* P[1] *add.* P[2] || 8 maxima : -e R[1] || 9 quis : quid *S* || 11 abigi : abici R auigi H || existimant : -at *P* || 13 insidant : -deant *Sg om.* V[1] *add.* V[2] || inquinent : -ant B[1] *corr.* B[3] || 14 uerum : utrum B[1] *corr.* B[3] *om.* *P* || hi : hii Rg B P ii *Br.* || 15 qui faciunt : hominum R || 17 aniliter : animaliter *B* || in (illis) : *om. B* || 19 falce saligna : falces ligna *H* falcera ligna M[1] f. sua ligna *g*

1. Le thème de ce début de chapitre est cher aux apologistes : nombreuses références dans M. PELLEGRINO, éd. de Minucius Felix, p. 185-188. C'est bien le thème de *Sag.* 13, 11, mais la mise en œuvre est nettement romaine.

2. Ces vers sont repris, dans une argumentation analogue, par HIER. *in Is.* 12,44.

CHAPITRE IV

Impuissance des statues

1. Quelle espèce de puissance peuvent bien avoir les statues, puisqu'il était au pouvoir d'un pauvre être humain qu'elles existent sous une autre forme, ou même qu'elles n'existent pas du tout[1]? Voilà pourquoi, chez Horace, Priape parle ainsi :

«J'étais autrefois tronc de figuier, bois inutile, quand un artisan, ne sachant pas s'il ferait un escabeau ou un Priape, a préféré que je sois le dieu. Me voilà dieu depuis lors, terreur suprême des voleurs et des oiseaux[2].»

2. Qui ne se sentirait en sécurité avec un tel gardien? En effet, les voleurs sont-ils assez bêtes pour craindre le sexe de Priape, alors que les oiseaux, que l'on croit pouvoir éloigner avec une faux ou avec un sexe, s'installent sur ces statues faites par un ouvrier, c'est-à-dire absolument semblables à des hommes, y font leur nid, les couvrent d'immondices? 3. Mais Flaccus, en poète satirique qu'il était, s'est moqué de la naïveté des hommes, tandis que ceux qui font cela sont persuadés qu'ils font une chose sérieuse. 4. Enfin, le poète suprême, homme prudent pour tout le reste, a divagué sur ce point non pas comme un poète, mais comme une vieille femme[3], lorsque, dans son ouvrage le plus travaillé, il donne encore le conseil suivant :

«Pour protéger des voleurs et des oiseaux, qu'avec sa

3. Lactance manifeste habituellement beaucoup plus d'admiration pour Virgile, et se montre surtout plus tolérant vis-à-vis des licences poétiques (cf. notre *Lactance et la Bible,* p. 57-59). Il est vrai que ces vers se prêtent mal à une interprétation prophétique. La référence aux vieilles femmes est, en pareil cas, traditionnelle (cf. A. OTTO, *Sprichwörter...* p. 28), et Lactance y recourt encore en *inst.* 1,17,3; 5,2,7. Les *Géorgiques* avaient, auprès des Anciens, la réputation d'un ouvrage particulièrement travaillé : cf. DON. *uit.* ed. Brummer, p. 6, l. 78-82; GELL. 17,10,2.

20 Hellespontiaci seruet tutela Priapi. »

5. Adorant ergo mortalia aut a mortalibus facta : frangi enim, cremari, perire possunt. Nam et tectis uetustate labentibus saepe comminui solent, et consumpta incendio dilabuntur in cinerem, et plerumque, nisi sua illis magni- 25 tudo subuenerit aut custodia diligens saepserit, in praedam furibus cedunt.

6. Quae igitur insania est ea timere pro quibus aut ruinae, aut ignes, aut furta timeantur ? Quae uanitas ab his aliquam sperare tutelam quae tueri semet ipsa non pos- 30 sunt ? Quae peruersitas ad eorum praesidia decurrere, quae ipsa cum uiolantur inulta sunt, nisi a colentibus uindicentur ?

7. – Vbi ergo ueritas est ? – Vbi nulla uis adhiberi potest religioni, ubi nihil quod uiolari possit apparet, ubi sacrile- 35 gium fieri non potest. Quidquid autem oculis manibusque subiectum est, id uero, quia fragile est, ab omni ratione immortalitatis alienum est.

8. Frustra igitur homines auro, ebore, gemmis deos excolunt et exornant, quasi uero ex his rebus ullam possint 40 capere uoluptatem. **9.** Qui usus est pretiosorum munerum nihil sentientibus ? An ille qui mortuis ? Pari enim ratione defunctorum corpora odoribus ac uestibus pretiosis illita et conuoluta humi condunt qua deos honorant,

FONTES : **6** *Cf.* CYPR. *Demet.* 14 ; ARN. *nat.* 6,20

21 aut : ut *Sg B HM om.* V^1 || a : *om.* V^1 || 24 dilabuntur : labuntur *B P* || 25 subuenerit : -nit *M* || aut : *om.* R || 28 ignes : -is *P* || uanitas : peruersitas *S* || his : hiis *g P* iis R^1 *Br.* || 29 semetipsa : similitudo *V* || 31 inulta : inu ta *g* || 33 ubi[1] : ibi (*ex* ubi) R || uis : nauis *V* || 38 igitur : + deos *B* || gemmis : egetemmis R^1 et gemmis R^2 gemmisque *g* || deos : *om.* *B* || 39 possint capere : ~ *P* || 40 qui : quis *Sg P* || pretiosorum : praetiosior* (û *?eras.)* *B* || 41 ille : illi B^1 *corr.* B^3 || 42 ac uestibus : *om.* *V* || 43 illita et : inlitat B^1 || qua : que *g* quia *V*

faux de saule, Priape, dieu de l'Hellespont, accorde sa tutelle. »

5. Ils adorent donc des objets mortels ou fabriqués par des mortels : ceux-ci peuvent, en effet, se briser, brûler ou périr. Car, lorsque les toits qui les abritent s'effondrent, sous l'effet de la vétusté, ils sont souvent écrasés; brûlés par l'incendie, ils s'évanouissent en cendres, et, bien souvent, à moins que leurs dimensions ne les protègent ou qu'ils ne soient entourés d'une garde attentive, ils deviennent la proie des voleurs.

6. Quelle folie, alors, de craindre des objets pour lesquels on craint les effondrements, les incendies ou les pillages! Quelle sottise d'espérer quelque protection d'objets qui ne peuvent même pas se protéger eux-mêmes! Quelle aberration de courir se placer sous la protection d'objets incapables de se venger eux-mêmes quand on leur fait violence, à moins que leurs adorateurs ne s'en chargent.

7. Où est donc alors la vérité? – Là où aucune contrainte ne peut peser sur la religion, où l'on ne voit rien qui puisse être victime de violences, là où il ne peut y avoir de sacrilège. Mais tout ce qui tombe sous les yeux ou sous les sens, tout cela, parce que c'est périssable, reste totalement étranger à la notion d'immortalité.

Inutilité des offrandes

8. C'est donc en vain que les hommes honorent et parent les dieux avec de l'or, de l'ivoire ou des pierres précieuses, comme si tout cela pouvait leur procurer le moindre plaisir. 9. De quelle utilité peuvent être ces cadeaux précieux, pour des êtres qui ne sentent rien? La même que pour les morts? En effet, ils confient à la terre les corps des défunts, embaumés de parfums et enveloppés de vêtements précieux, en recourant au même rituel que

qui neque cum fierent sentiebant, neque cum coluntur
45 sciunt; nec enim sensum consecratione sumpserunt.

10. Non placebat Persio quod aurea uasa templis inferantur, superuacuum putanti esse inter religiones quod non sanctitatis, sed auaritiae sit instrumentum. **11.** Illa enim satius est deo, quem recte colas, inferre pro munere :

50 «Compositum ius fasque animo sanctosque recessus
Mentis et incoctum generoso pectus honesto.»

Egregie sapienterque sensit. **12.** Verum illud ridicule subdidit : «hoc esse aurum in templis, quod sint Veneri donatae a uirgine pupae»; quas ille ob minutiem fortasse
55 contempserit. **13.** Non uidebat enim simulacra ipsa et effigies deorum Polycleti et Euphranoris et Phidiae manu ex auro atque ebore perfectas nihil aliud esse quam grandes pupas non a uirginibus, quarum lusibus uenia dari potest, sed a barbatis hominibus consecratas. **14.** Merito igitur
60 etiam senum stultitiam Seneca deridet : «Non, inquit, bis pueri sumus, ut uulgo dicitur, sed semper : uerum hoc

FONTES : 11 PERS. 2,73-74 12 *Cf.* PERS. 2,69 s. 14 SEN. *frg.* 121

45 sensum : -u *HM* || 47 superuacuum : -a *Sg HM* || putanti : putant *R* || 48 sa[nctitatis : *hinc denuo inc. G cod. pag. 17 cuius pleraque legi possunt* RSg B(G) HM PV
instrumentum : -ta R || 48 illa : tum i. *B* || 49 pro munere : *om. P* || 50 compositum : -ta *B* -tos *P* composit[ae] *G* || animo : -os *BG P* || recessus : -os *P* recesus *R* || 51 in coctum : in coetu *B* [in]co[etu] *G* intactum *g* || generoso : -um *BG* || pectus : -u *S* || honesto : -um *G* || 52 sapienterque : sapientêque *S* || 52 illud : *om. P* || 54 ille : + persius *g* || minutiem : -ias *BG* -titiem *PV* || 55 et : ac (?) *G* || 57 ebore : ebur *S* || 61 uerum : uer *V*[1]

1. Lactance paraphrase ces deux vers en *inst.* 6,2,11-12. Le poète avait toute l'estime des premiers écrivains chrétiens. Plus tard, Augustin opposera son enseignement à l'immoralité des pratiques païennes, et montrera que les chrétiens sont les véritables dépositaires de son enseignement (cf. P. COURCELLE «S. Augustin lecteur des *Satires* de

pour adorer des dieux qui n'ont pas senti le commencement de leur existence et ne se rendent pas compte qu'ils reçoivent un culte; car leur consécration ne leur a pas non plus donné de sensibilité.

10. Perse n'aimait pas du tout que l'on apportât des vases d'or dans les temples, car il considérait comme superflu ce qui, parmi les rites, manifestait non pas le sens du sacré mais le goût des richesses. **11.** Voici, en effet, ce qu'il vaut mieux présenter comme offrande à un dieu que l'on veut honorer de façon convenable :

> «Droit humain et divin en harmonie dans l'âme, esprit sanctifié jusque dans ses replis, cœur trempé d'honnêteté généreuse[1]».

12. Voilà une conception remarquablement sage. Mais il a ajouté ce détail ridicule : «L'or est dans les temples ce que sont les poupées consacrées à Vénus par une jeune vierge[2];» peut-être les a-t-il méprisées à cause de leur petite taille. **13.** En effet, il ne voyait pas que les statues et les images de dieux faites de la main de Polyclète, d'Euphranor et de Phidias, avec de l'or et de l'ivoire, ne sont que des grandes poupées, consacrées non pas par des vierges, dont les jeux méritent l'indulgence, mais par des hommes barbus. **14.** Sénèque a donc bien raison de se moquer de la sottise de ces vieillards : «Nous ne sommes pas deux fois enfants, comme on le dit d'habitude, mais nous le sommes toujours : la seule différence, c'est que nos

Perse», *RScR*, 27, 1953, p. 40-46; article repris dans *Les Confessions de saint Augustin dans la tradition littéraire,* Paris 1963, p. 111-117).

2. Au moment de changer de situation, les Romains offraient à telle ou telle divinité les instruments de leur ancien état : avant de se marier, les jeunes filles offraient leurs poupées à Vénus. Le scoliaste de Perse, commentant ce passage, renvoie à l'autorité de Varron, mais ne le cite pas. L'usage ancien nous est donc connu par de multiples allusions, mais pas par des explications précises sur la forme du geste ou la signification exacte qui lui était attachée.

interest quod maiora nos ludimus. » **15.** Ergo his ludicris et ornatis et grandibus pupis unguenta et tura et odores inferunt, his opimas et pingues hostias immolant, quibus 65 est quidem os, sed carens officio dentium, his peplos et indumenta pretiosa, quibus usus uelaminis nullus est, his aurum et argentum consecrant, quae tam non habent qui accipiunt quam qui illa donarunt.

16. Nec immerito Dionysius Siciliae tyrannus post uic-70 toriam Graecia potitus deos tales contempsit, spoliauit, illusit, siquidem sacrilegia sua iocularibus etiam dictis prosequebatur. **17.** Nam cum Ioui Olympio aureum amiculum detraxisset, laneum iussit imponi dicens aestate graue esse aurum, hieme frigidum, laneum uero utrique 75 tempori aptum. **18.** Idem auream barbam detrahens Aesculapio incongruens et iniquum esse ait, cum Apollo pater eius imberbis adhuc esset ac leuis, priorem filium quam patrem barbatum uideri. **19.** Item pateras et exuuias et parua quaedam sigilla, quae simulacrorum protentis 80 manibus tenebantur, detrahebat et accipere se illa, non

FONTES : **16** *Cf.* CIC. *nat. deor.* 3,34,83 ; VAL. MAX. 1,1, *ext.* 3 ; ARN. *nat.* 6,21

63 ornatis : -ibus *B* serenatis *P* || grandibus : gradibus *V* || pupis : puppis *V* puis P^1 puris P^2 || unguenta : ungenta *HM* || 64 his : hiis *g* et *P* || opimas : -es R || 65 peplos : peplon *B* || 66 pretiosa : + consecrant *B* || usus : *om.* *H* || 67 consecrant : conferunt *B* || quae tam : quod tam sum B^1 q.t. in usum B^3 || tam : tamen *V* || 69 uictoriam : -a *P* || 72 prosequebatur : *hic inc. cod. G pag. 18 paene tota lecta* || olympio : -po R || 74 graue : -es *V* || aurum : aureum R *Br.* || utrique : + et *HM* || 75 idem : item *BG* || 76 et : *om.* HM^1 || iniquum : inimicum *S G H* M^1 || 77 imberbis : in uerbis *S P* in barbis *G* || leuis : lenis R*S G* || 78 exuuias : exubias *G HM* exsuuias R || 79 protentis : patentis *M* || 80 illa : -â *S*

1. Ce fragment est sans doute emprunté à l'ouvrage perdu *Libri moralis philosophiae,* cf. M. LAUSBERG, *Untersuchungen...,* p. 188 s. La formulation la plus proche du proverbe cité par Sénèque est grecque : δὶς παῖδες οἱ γέροντες, les vieillards sont deux fois enfants (cf. A. OTTO, *Sprichwörter...,* p. 317). Cette remarque populaire a souvent été reprise à

jouets sont plus grands[1]». **15.** C'est pourquoi, à ces immenses poupées décorées qui sont leurs jouets, ils apportent des onguents, de l'encens et des parfums; ils leur immolent d'abondantes et grasses victimes, alors que, si elles ont bien une bouche, elles ne savent pas se servir de leurs dents; ils leur donnent manteaux et vêtements précieux alors qu'elles n'ont aucunement besoin d'être vêtues; ils leur consacrent de l'or et de l'argent, qui constituent moins la propriété de ceux qui reçoivent que de ceux qui ont offert.

Sacrilèges impunis : Denys le Tyran

16. Et ce n'est pas sans raison que Denys, tyran de Sicile, lorsque, après sa victoire, il a occupé la Grèce, a méprisé, spolié de pareils dieux, les a bafoués même, puisqu'il accompagnait ses sacrilèges de propos goguenards[2]. **17.** Ainsi, après avoir arraché à Jupiter un manteau d'or, il le fit recouvrir d'un manteau de laine, en disant que l'or était lourd en été et froid en hiver, tandis que du lainage convenait bien aux deux saisons. **18.** C'est lui encore qui, arrachant à Esculape sa barbe d'or, déclara qu'il n'était ni convenable ni juste, étant donné que son père Apollon avait encore un visage lisse et jeune, que le fils, avec une barbe, parût plus âgé que son père. **19.** Il arrachait également les coupes, offrandes et figurines qui se trouvaient sur les mains tendues des statues, et il disait qu'il les recevait, mais ne les prenait pas :

leur compte par les philosophes, aussi bien stoïciens qu'épicuriens. (On trouvera une étude de sa survie dans R. CANTARELLA, *Aristofane, Erasmo e Shakespeare. Storia di un proverbio, RAL,* 26, 1971, p. 113-130).

2. Cette anecdote et les suivantes sont racontées essentiellement par CIC. *nat. deor.* 3,34,83; VAL. MAX. 1,1, ext. 3; ARN. 6,21. Le développement de Lactance a été utilisé par S. AMBROISE, (*uirg.* 2,5,36-37), conjointement avec la page de Cicéron : cf. P. COURCELLE, «Les sources de saint Ambroise sur Denys le Tyran», *RPh,* 43, 1969, p. 204-210.

auferre dicebat : perquam enim stultum esse et ingratum nolle accipere ab his ultro porrigentibus a quibus bona sibi homines precarentur. **20.** Haec ille fecit impune, quia rex et uictor fuit. Quin etiam secuta est eum solita felicitas :
85 uixit enim usque ad senectutem regnumque per manus filio tradidit. In eo igitur, quia homines sacrilegia uindicare non poterant, oportuit deos ipsos sui uindices esse.

21. Ac si humilis quid tale commiserit, huic praesto sunt flagella, ignes, eculei, cruces et quidquid excogitare iratis
90 ac furentibus licet. **22.** Sed cum puniunt deprehensos in sacrilegio, ipsi de deorum suorum potestate diffidunt. Cur enim non ipsis potissimum relinquant ulciscendi sui locum, si eos posse aliquid arbitrantur? **23.** Quin etiam putant illorum numine accidisse ut praedones rerum
95 sacrarum comprehensi tenerentur, et saeuiunt non tam ira quam metu, ne si deorum iniuriam non uindicauerint, in ipsos expetant poenae : incredibili scilicet uanitate, qui nocituros sibi deos putent ob aliena scelera, qui ipsis a quibus uiolati spoliatique sunt per se ipsos nihil nocere
100 potuerunt! **24.** At enim saepe ipsi quoque in sacrilegos uindicauerunt. – Potest id uel casu accidisse, quod ali-

81 esse : esset et *B* || 82 his : hiis *g P*[1] dis *B*[1] *corr. B*[3] iis *Br.* || ultro : -a *HM* || 83 quia : qui *Sg* || 84 fuit : *om. P* || quin : qui *S* || eum : cum *S* || 85 manus : manu se *G* manum R || filio : -orum *P*[1] || 86 quia homines : ∼ *P* || 87 sui : -is *M*[1] || 88 ac : ad *P*[1] at *V Br.* || humilis : -es *B*[1] *corr. B*[3] || quid : qui *G* quispiam quid *RSg* cf. p. 218 || 90 deprehensos in sacrilegio : i.s.d. *BG* || 92 enim : etiam *HM* || ipsis : + in *M* || relinquant : -uunt *BG V*[1] || 93 quin : qui *P* || 95 sacrarum] : *hic des. G*

RSg B HM PV

tenerentur : -bantur *V* || saeuiunt : seuiuunt *V* || non : *om. HM* || ira : irâ *V* || 96 uindicauerint : -erunt *V* uindicarint *Sg* || in : *om. HM* || 97 ipsos : -o *V* || expetant : expectant *R*[1] (expetatur *R*[2]) *PV* || poenae : -as *B*[1] *corr. B*[3] paene R pene *g* || 98 putent : -ant *V*[1] || qui : cum *B* || 99 nihil nocere : ∼ *Sg* || 100 saepe : *om.* R || ipsi : -e R[1] || 101 quod : *om. P*

il faudrait, en effet, être particulièrement stupide et ingrat pour refuser de recevoir des biens offerts précisément par ceux à qui les hommes les demandaient dans leurs prières. **20.** Et tout cela, il le fit sans être puni, puisqu'il fut roi, et victorieux; bien plus, sa chance habituelle l'accompagna même jusqu'au bout : il vécut, en effet, jusqu'à un âge avancé et transmit directement son royaume à son fils. Donc, dans ce cas, puisque les hommes ne pouvaient tirer vengeance des sacrilèges, il aurait fallu que les dieux eux-mêmes fussent les artisans de leur vengeance.

Ce sont les hommes qui vengent les dieux

21. Et supposons qu'un pauvre type ait commis quelque chose de ce genre, c'est aussitôt les fouets, les flammes, les chevalets de torture, les croix, et tout ce que peuvent imaginer des gens fous de colère. **22.** Mais, en punissant ceux qui ont été pris en flagrant délit de sacrilège, ils montrent que, pour leur part, ils n'ont pas confiance en la puissance de leurs dieux. Pourquoi, en effet, ne leur laissent-ils pas plutôt le soin de se venger eux-mêmes, s'ils considèrent que ceux-ci ont quelque pouvoir? **23.** Ils vont même jusqu'à penser que c'est grâce à la puissance tutélaire de ces dieux que les voleurs d'objets sacrés ont pu être pris, et ils exercent ces cruautés moins par colère que par crainte de voir les châtiments s'abattre sur eux, dans le cas où ils n'auraient pas vengé l'affront infligé à leurs dieux. Quelle incroyable illusion! Aller penser que les dieux vont leur faire du mal à cause des crimes d'autrui, alors que ceux-ci ont été incapables de faire par eux-mêmes le moindre mal à ceux qui les ont malmenés et dépouillés! **24.** – Mais, dira-t-on, ils ont souvent tiré vengeance eux-mêmes des sacrilèges. – Ce qui se produit parfois, mais pas toujours,

quando, non semper. Sed tamen paulo post quomodo id acciderit ostendam.

25. Nunc interim quaero cur illi tot ac tanta sacrilegia in
105 Dionysio non uindicauerint, qui non furtim, sed palam ludibrio deos habuit. Cur hunc tam potentem sacrilegum a templis, a caerimoniis, ab imaginibus suis non arcuerunt? Cur etiam sacris rebus ablatis prospere nauigauit? Quod ioco ipse testatus est, ut solebat. **26.** «Videtisne, inquit
110 comitibus suis naufragium timentibus, quam prospera sacrilegis nauigatio ab ipsis diis immortalibus tribuatur?» Sed hic fortasse a Platone didicerat deos nihil esse?

27. Quid Gaius Verres, quem Tullius accusator eius eidem Dionysio et Phalaridi et tyrannis omnibus com-
115 parat? Nonne omnem Siciliam compilauit, sublatis deorum simulacris ornamentisque fanorum. **28.** Otiosum est persequi singula, unum libet commemorare in quo accusator omnibus eloquentiae uiribus, omni denique conatu uocis et corporis deplorauit de Cerere uel Catinensi uel Hennensi :
120 quarum alterius tanta fuit religio ut adire templi eius

FONTES : **26** *Cf.* CIC. *nat. deor.* 1,12,30 - 1,13,34 **27** *Cf.* CIC. *Verr.* 6,56,145 **28** *Cf.* CIC. *Verr.* 5,45,99 et 5,48,106

102 sed : + si *B* || quomodo : modo *B*[1] || 104 illi : -a *g HM PV* || 105 dionysio : dinysio *B*[1] *corr.* *B*[3] || uindicauerint : -carint *Sg H* indicauerint *V* || 107 arcuerunt : arguerunt R *HM PV* || 108 ablatis : latis R[1] || 111 sacrilegis : sacris *P*[1] || ipsis : -os *V*[1] || 113 quid : *om.* *P* || quem : quam *S*[1] *corr.* *S*[2] || 116 otiosum : odiosum *B* ociosum *M* || 117 unum libet : et *P* || 120 quarum : quorum *B*[1] *corr.* *B*[3] || templi eius : ~ *P*

1. Cf. *infra* 7,7.14 s.

2. On sait, d'après la légende, que Platon s'était rendu chez Denys qui, irrité par certains propos du philosophe, l'avait fait vendre comme esclave (cf. *inst.* 3,25,16); par ailleurs, Lactance souligne à plusieurs reprises le monothéisme de Platon et le considère comme un allié quand il s'agit de réfuter le polythéisme : cf. M. PERRIN, *L'Homme antique...*, p. 209.

3. Ce tyran d'Agrigente (VII-VIe siècle av. J.-C.) est fréquemment cité par les latins, et particulièrement par Cicéron, comme le type même du tyran.

peut fort bien être dû au hasard. Néanmoins, je montrerai un peu plus loin comment cela s'est produit[1].

Denys le Tyran est resté impuni

25. Pour le moment, je cherche pourquoi ceux-ci ne se sont pas vengés sur Denys de ses si nombreux et si graves sacrilèges : car celui-ci a tourné les dieux en ridicule, non pas de façon clandestine, mais publiquement. Pourquoi n'ont-ils pas tenu ce si dangereux sacrilège à l'écart de leurs temples, de leurs cérémonies, de leurs images? Pourquoi, même après avoir volé des objets sacrés, a-t-il navigué dans d'heureuses conditions, ce qu'il a, comme d'habitude, souligné par une plaisanterie. **26.** « Voyez-vous, a-t-il dit à ses compagnons qui avaient peur de faire naufrage, quelle agréable traversée est offerte aux sacrilèges par les dieux eux-mêmes? » Mais peut-être est-ce Platon qui lui avait appris que les dieux ne sont rien[2]?

L'heureux destin de Verrès

27. Que dire de Gaius Verrès, que son accusateur Tullius compare à ce même Denys et à Phalaris[3] et à tous les tyrans? N'a-t-il pas dépouillé toute la Sicile en y enlevant les statues des dieux et les trésors des temples? **28.** Il serait oiseux de reprendre tous les cas un par un; je me contente d'en évoquer un, sur lequel l'accusateur a pleuré avec toutes les ressources de son éloquence, toutes les facultés de sa voix et de son corps : il s'agit de Cérès, celle de Catane comme celle d'Henna[4] : la première était l'objet d'un si grand respect qu'il était sacrilège pour les

4. CICÉRON évoque le culte rendu à Cérès dans ces deux villes de Sicile en *Verr.* 5,45,99 et 5,48,106, en insistant sur les deux caractères particuliers que Lactance relève ici, éviction des mâles dans un cas, extrême ancienneté du culte dans l'autre cas.

secreta penetralia uiris nefas esset, alterius antiquitas tanta
ut omnes historiae loquantur ipsam deam fruges in Hennae
solo primum repperisse filiamque eius uirginem ex eodem
loco raptam. **29.** Denique Gracchanis temporibus tur-
125 bata re publica et seditionibus et ostentis, cum repertum
esset in *Carminibus Sibyllinis* antiquissimam Cererem debere
placari, legati sunt Hennam missi. **30.** Haec igitur Ceres,
uel religiosissima, quam uidere maribus ne adorandi
quidem gratia licebat, uel antiquissima, quam senatus
130 populusque Romanus sacrificiis donisque placauerat, ex
arcanis ac uetustis penetralibus a Gaio Verre immissis
latronibus seruis impune sublata est. **31.** Idem uero cum
adfirmaret se a Siculis ut causam prouinciae susciperet
oratum, his usus est uerbis : « Sese iam ne deos quidem in
135 suis urbibus ad quos confugerent habere, quod eorum
simulacra sanctissima Gaius Verres ex delubris religios-
simis sustulisset. » Quasi uero si Verres ex urbibus delu-
brisque sustulerat, de caelo quoque sustulerat ! **32.** Vnde
apparet istos deos nihil habere in se amplius quam mate-
140 riam de qua sint fabricati. **33.** Nec immerito ad te, Marce
Tulli, hoc est ad hominem, Siculi confugerunt, quoniam
triennio sunt experti deos illos nihil ualere : essent enim
stultissimi, si ad eos ob defendendas iniurias hominum
confugissent, qui Gaio Verri nec pro se ipsis irati esse

FONTES : **29** *Cf.* CIC. *Verr.* 5,49,108 ; VAL. MAX. 1,1,1 **31** CIC. *diu. in Caec.* 1,3

122 loquantur : -uuntur *HM* || 123 solo : si solo *P* solum *M* || ex : *eras.* R || 124 raptam : captam *H* || 125 ostentis : ostis *H* hostis *M* || 127 legati : negati P^1 || 129 antiquissima : -am *H* || 130 sacrificiis : + que *P* || 131 ac : et *B* || penetralibus : penetrabilibus *HM* || gaio uerre : *uerre (C *eras.*) R cuerre *V* || 132 sublata : -tus V^1 *corr.* V^2 || 133 prouinciae : -tia R || 134 ne : *om.* *V* || 135 eorum : deorum R || 136 simulacra : simula B^1 || uerres + deos *B* || religiosissimis : reliosissimis P^1 || 137 delubrisque : et delubris quae *g* || 138 sustulerat : -isset *Br.* cf. p. 218 || 139 habere in se i.s.h. *Sg HM* || 140 sint : sunt R sin P^1 || 140 nec immerito : necis merito

mâles de pénétrer au plus secret de son temple; l'autre était si ancienne que toutes les chroniques disent que c'est sur le sol d'Henna que la déesse avait pour la première fois découvert les fruits de la terre, et que c'est là aussi que sa fille, vierge, avait été enlevée. **29.** Enfin, à l'époque des Gracques, quand la république était troublée par les séditions et des prodiges effrayants, lorsqu'on eut découvert dans les *Oracles Sibyllins* qu'il fallait apaiser la plus ancienne Cérès, c'est à Henna que les délégués furent envoyés. **30.** Et bien, cette Cérès, que ce soit la déesse infiniment respectable, que les mâles n'avaient pas le droit de voir, même pour l'adorer, que ce soit la déesse très ancienne, que le Sénat et le peuple romain avaient apaisée par des offrandes et des sacrifices, a été enlevée impunément de ses sanctuaires, du secret comme de l'ancien, par des esclaves pillards envoyés par Verrès. **31.** Et ce même Cicéron, en rappelant que les Siciliens l'avaient supplié de se charger de la défense de leur province, leur fait dire «qu'ils n'avaient même plus, dans leurs villes, de dieux auprès de qui ils puissent se réfugier : en effet, Gaius Verrès avait fait enlever de leurs temples leurs statues les plus sacrées». Comme si Verrès, en enlevant les dieux de leurs villes et de leurs temples, les avait également enlevés du ciel! **32.** Il apparaît donc clairement que ces dieux ne sont rien de plus que la matière avec laquelle ils ont été fabriqués. **33.** Les Siciliens ont donc bien eu raison, Marcus Tullius, de chercher refuge auprès de toi, c'est-à-dire auprès d'un homme, puisque pendant trois ans ils ont constaté par expérience que les dieux n'avaient aucun pouvoir : car ils auraient été bien bêtes de chercher refuge, pour être défendus contre les injustices des hommes, auprès de ceux qui n'ont pas pu s'indigner pour

S || 141 quoniam : quem *g* || 142 ualere : *om.* *V*[1] || 143 ob : ad *HM* || 144 ipsis : -i *P*[1] || irati : -is *V*

145 potuerunt. **34.** – At enim Verres ob haec facinora damnatus est. – Non ergo dii uindicauerunt, sed Ciceronis industria, qua uel defensores eius oppressit uel gratiae restitit. **35.** Quid quod apud ipsum Verrem non fuit illa damnatio, sed uacatio, ut quemadmodum Dionysio 150 deorum spolia gestanti dii immortales bonam dederant nauigationem, sic etiam Verri bonam quietem tribuisse uideantur, in qua sacrilegiis suis tranquille frui posset? **36.** Nam frementibus postea bellis ciuilibus, sub obtentu damnationis ab omni periculo ac metu remotus, aliorum 155 graues casus ac miserabiles exitus audiebat, et, qui cecidisse solus uniuersis stantibus uidebatur, is uero uniuersis cadentibus stetit solus, donec illum et opibus sacrilegio partis et uita satiatum ac senectute confectum proscriptio triumuiralis auferret, eadem scilicet quae Tullium uiolatae 160 deorum maiestatis ultorem. **37.** Quin etiam felix in eo ipso fuit quod ante suam mortem crudelissimum exitum sui accusatoris audiuit, diis uidelicet prouidentibus ut sacrilegus ac praedo ille religionum suarum non ante moreretur quam solacium de ultione cepisset.

FONTES : 37 *Cf.* CIC. *Verr.* 5,34,75 ; 43,95

146 ergo : enim *P* || 147 qua : que *B*[1] || 149 uacatio : uagatio *P* || ut : *om.* *V*[1] || 150 immortales : immort *P*[1] || bonam dederant : dederant bonum *B*[1] d. bonam *B*[2] || dederant : -runt *S HM* dedeunt *P*[1] -erunt *P*[2] || 151 etiam : *om.* *P* || 152 sacrilegiis : -is *R*[1] -ii *M* || suis : + fructu *P* || tranquille : -us *B* || 154 ac : et *B* || 155 casus : -is *M* || ac : et *Sg P* || 156 is : his *Sg V* || 158 partis : paris *R*[1] || uita : -as *P*[1] || 159 triumuiralis : triumphalis *g* || 161 suam mortem : ∼ *P* || 163 ille : *om.* *V* || suarum : sacrarum *B* || 164 cepisset : recepisset *HM* coepisset *V*

1. Verrès, en s'exilant volontairement, avait évité la condamnation et s'était en quelque sorte exempté de jugement, par ce moyen qui était considéré comme une esquive normale. Il ne fit pas appel de la sentence qui le condamna à une amende, et jouit en paix du fruit de ses rapines.

leur propre cause. **34.** – Mais, dira-t-on, Verrès a été condamné pour ces crimes. – Ce ne sont donc pas les dieux qui l'ont châtié, mais l'ingéniosité de Cicéron, grâce à laquelle celui-ci a accablé ses défenseurs ou fait obstacle à son crédit. **35.** D'ailleurs, dans le cas précis de Verrès, il n'y eut pas condamnation, mais exemption, au point que, tout comme les dieux immortels avaient procuré une excellente traversée à Denys quand il emportait leurs propres dépouilles, on a également l'impression qu'ils ont accordé à Verrès une bonne retraite dans laquelle il pût profiter tranquillement de ses sacrilèges. **36.** Car, lorsque plus tard les guerres civiles se déchaînèrent, lui, toujours protégé par sa condamnation, à l'abri de tout risque et de toute crainte, écoutait raconter les malheurs accablants et les misérables fins des autres, et lui, que l'on croyait le seul à être tombé alors que tous les autres restaient debout, se trouva finalement, quand tous furent tombés, le seul à être resté debout, jusqu'au moment où, rassasié des richesses acquises par ses sacrilèges ainsi que de la vie, accablé par l'âge, il fut emporté par la proscription des triumvirs, la même précisément qui emporta Tullius, le vengeur des affronts infligés à la puissance des dieux[1]. **37.** Mieux encore : il eut même le bonheur, avant de mourir, d'apprendre l'assassinat sauvage de son accusateur; sans doute parce que les dieux ont veillé à ce que celui qui avait profané leur culte et les avait dépouillés ne mourût pas avant d'avoir obtenu la consolation de se voir vengé[2].

2. PLINE l'Ancien (*nat.* 34,6), peut-être source de Lactance, dit que Verrès fut proscrit par Antoine, qui voulait s'assurer la propriété de ses bronzes de Corinthe. Au contraire, SÉNÈQUE le Rhéteur (*suas.* 6,3) indique que Cicéron aurait survécu à Verrès.

CAPVT V

1. Quanto igitur rectius est, omissis insensibilibus et uanis, oculos eo tendere ubi sedes, ubi habitatio est Dei ueri, qui terram stabili firmitate suspendit[a], qui caelum distinxit astris fulgentibus, qui solem rebus humanis claris-
5 simum ac singulare lumen in argumentum suae unicae maiestatis accendit, terris autem maria circumfudit, flumina sempiterno lapsu fluere praecepit :

«Iussit et extendi campos, subsidere ualles,
Fronde tegi siluas, lapidosos surgere montes.»

10 **2.** Quae utique omnia non Iuppiter fecit, qui ante annos mille septingentos natus est, sed

«Ille opifex rerum, mundi melioris origo»,

qui uocatur Deus, cuius principium, quoniam non potest comprehendi, ne quaeri quidem debet. **3.** Satis est
15 homini ad plenam perfectamque prudentiam si Deum esse intellegat. Cuius intellegentiae uis et summa haec est ut suspiciat et honorificet communem parentem generis humani et rerum mirabilium fabricatorem.

4. Vnde quidam hebetis obtunsique cordis elementa
20 quae et facta sunt et carent sensu tamquam deos adorant. **5.** Qui cum Dei opera mirarentur, id est caelum cum uariis

FONTES : **1** OV. *met.* 1,43-44 **2** OV. *met.* 1,79

1 igitur : + honestius et *B* || insensibilibus : insensibilis *P*¹ || 6 accendit : incendit *B* || 7 lapsu : -o R¹ *corr.* R² || praecepit : -cipit *V*¹ || 8 et : *om.* R *P* || extendi : -it *M* || 9 siluas : -a *P*¹ || 11 septingentos : octingentos *B* (cf. 1,23,5) || 14 ne : nec *Sg B M* || debet : habet *M* || 15 si : *om.* *P*¹ || deum : dñm *P* || 16 haec : hae *V*¹ || suspiciat : suscipiat R *H P* || communem parentem : ~ *Sg* || 19 quidam : quid *S*¹ || hebetis : -es *S P* ebetes *HM* || 21 opera : -am *B* || mirarentur : mirentur *B* || cum : *om.* *P*¹

a. Gen. 1.

1. La remarque vise à montrer que Jupiter ne peut prétendre à l'autorité que confère l'*antiquitas*, puisqu'on peut le situer dans l'histoire (cf. *inst.* 1,22).

CHAPITRE V

Dieu se révèle dans ses œuvres

1. Combien donc est-il préférable d'abandonner ces objets insensibles et vains pour élever les yeux vers le lieu où siège et habite le Dieu véritable, qui a installé la terre sur une assise solide, qui a décoré le ciel d'astres scintillants, qui, au-dessus des choses humaines, a allumé le soleil, flambeau éclatant et singulier, en témoignage de son unique majesté; il a entouré de toutes parts les mers avec des terres, il a ordonné aux fleuves de couler d'un cours éternel.

«Il a ordonné que s'étendent les plaines, que se creusent les vallées, que les forêts se couvrent de frondaisons, que se dressent des montagnes de pierres.»

2. Tout cela, ce n'est certainement pas Jupiter qui l'a fait, lui qui est né il y a mille sept cents ans[1], mais

«Cet artisan des choses, source d'un monde meilleur[2],»

qui s'appelle Dieu, dont l'origine ne peut être comprise, et ne doit donc pas même être recherchée. 3. Il suffit à l'homme, pour atteindre la sagesse pleine et parfaite, de reconnaître que Dieu existe. Cette reconnaissance trouve son expression la plus parfaite quand on contemple et qu'on honore le père commun de l'espèce humaine, fabricateur des merveilles du monde.

Beaucoup d'hommes n'admirent que l'œuvre

4. C'est pourquoi certaines gens à l'esprit borné et obtus adorent comme des dieux les éléments qui ont été créés et qui n'ont pas de sens. 5. Regardant, en effet, avec admiration les œuvres de Dieu, c'est-à-dire le ciel avec ses

2. Sur la mise en œuvre des *Métamorphoses* par Lactance, cf. en dernier lieu, A. GOULON, «Les citations..», dans *Lactance et son temps,* p. 134-135.

luminibus, terram cum campis et montibus, maria cum fluminibus et stagnis et fontibus, earum rerum admiratione obstupefacti et ipsius artificis obliti quem uidere non poterant[b], opera eius uenerari et colere coeperunt nec umquam intellegere quiuerunt, quanto maior quantoque mirabilior sit qui illa fecit ex nihilo. **6.** Quae cum uideant diuinis legibus obsequentia commodis atque usibus hominis perpetua necessitate famulari, tamen illa deos existimant esse, ingrati aduersus beneficia diuina, qui Deo et patri indulgentissimo sua sibi opera praetulerunt.

7. Sed quid mirum si aut barbari aut imperiti homines errant, cum etiam philosophi Stoicae disciplinae in eadem sint opinione, ut omnia caelestia quae mouentur in deorum numero habenda esse censeant? Siquidem Lucilius Stoicus apud Ciceronem sic loquitur : **8.** « Hanc igitur in stellis constantiam, hanc tantam in tam uariis cursibus in omni aeternitate conuenientiam temporum non possum intellegere sine mente, ratione, consilio. Quae cum in sideribus esse uideamus, non possumus ea ipsa non in deorum numero reponere. » **9.** Item paulo superius : « Restat, inquit, ut motus astrorum sit uoluntarius : quae qui uideat,

FONTES : **8** CIC. *nat. deor.* 2,21,54 **9** CIC. *nat. deor.* 2,16,44

22 et : *om. HM* || maria : mare *B Br. cf.* p. 218 || 23 et : *om. S B HM* || 24 obstupefacti : stupefacti *Sg* || artificis : -i B^1 || 25 colere] coeperunt : *hinc denuo inc. G*

RSg B(G) HM PV

26 quiuerunt : quierunt *S* || quantoque : que *R* V^1 || 29 hominis : -um *S* -i P^1 || 30 existimant esse : existimantes *HM* || qui : *om.* V^1 || 33 disciplinae : sectae paene *HM* || 34 opinione : -em *B* || 35 siquidem : se quidem *H* || 36 hanc igitur : *om. HM* || 37 hanc : hac *R* || hanc tantam : *om. BG* || in tam : *om. P* || cursibus : + et *R* || omni : -ia *G* || 38 conuenientiam : -tia *B* (m *eras.*) *H* || 39 mente : *om. HM* || ratione : + et *M* || consilio. quae : consilioque regi *BG* || 40 in : *om.* P^1 || 41 reponere : ponere *P* || 42 inquit : inquiit *G*

b. Sag. 13, 1-3; Rom. 1, 20-21; 25.

luminaires de toute sorte, la terre avec ses plaines et ses montagnes, les mers, ainsi que les fleuves, les étangs et les sources, ils sont restés sous le coup de leur admiration pour toutes ces choses, et, oubliant l'ouvrier, qu'ils ne pouvaient voir, ils se sont mis à vénérer et à adorer ses œuvres, et n'ont jamais pu comprendre par la suite combien est plus grand et plus admirable celui qui a créé tout cela à partir de rien. **6.** Ils ont beau voir que tous ces éléments se conforment à des lois divines et sont mis au service et à la disposition de l'homme par un déterminisme éternel, ils les prennent néanmoins pour des dieux, se montrent ingrats pour les bienfaits divins, en préférant à Dieu, père rempli d'indulgence, ses propres créatures.

C'est en particulier le cas des stoïciens

7. Mais qu'y-a-t-il d'étonnant à voir dans l'erreur des barbares ou des gens sans culture, lorsque même les philosophes de l'école stoïcienne s'accordent également à croire que tous les objets qui sont en mouvement dans le ciel doivent être mis au nombre des dieux? De fait, le stoïcien Lucilius s'exprime ainsi chez Cicéron : **8.** «Cette périodicité dans le cours des étoiles, cette ponctuelle et perpétuelle régularité dans leurs trajectoires si diverses, je ne peux les comprendre sans un esprit, une raison, une intention. En voyant que tout cela existe dans les astres, nous ne pouvons pas ne pas mettre ces derniers au nombre des dieux[1].» **9.** De même, un peu plus haut : «Reste, dit-il, la solution que le mouvement des astres est volontaire. Celui

1. CIC. *nat. deor.* 2,21,54. Le texte de Lactance comporte deux variantes par rapport à celui de Cicéron : ajout de *in (tam uariis)*; *esse* au lieu de *inesse*.

non indocte solum, uerum etiam impie faciat, si deos esse neget. »

45 **10.** Nos uero et quidem constanter negamus ac uos, o philosophi, non solum indoctos et impios, uerum etiam caecos, ineptos, deliros probamus, qui ignorantiam imperitorum uanitate uicistis. Illi enim solem atque lunam, uos etiam sidera deos putatis. **11.** Tradite igitur nobis stel-
50 larum mysteria, ut aras ac templa singulis erigamus, ut sciamus quo quamque ritu, quo die colamus, quibus nominibus, quibus precibus aduocemus : nisi forte nullo discrimine tam innumerabiles, tam minutos deos aceruatim colere debemus.

55 **12.** Quid quod argumentum illud, quo colligunt uniuersa caelestia deos esse, in contrarium ualet ? Nam si deos idcirco esse opinantur quia certos et rationabiles cursus habent, errant. Ex hoc enim apparet deos non esse quod exorbitare illis a praestitutis itineribus non licet.
60 **13.** Ceterum, si dii essent, huc atque illuc passim sine ulla necessitate ferrentur, sicut animantes in terra, quarum quia liberae sunt uoluntates, huc atque illuc uagantur ut libuit, et quo quamque mens duxerit eo fertur. **14.** Non est igitur astrorum motus uoluntarius, sed necessarius, quia
65 praestitutis legibus officiisque deseruiunt. **15.** Sed cum

45 uero et quidem : uero equidem *Sg H* uero quidem *G M* quidem *B* || negamus : negauimus *B* || o : *om.* R || philosophi : -os R || 46 impios : imperios B^1 *corr.* B^3 || etiam : *om.* *Sg* || 47 deliros : -osque *BG* diliuosque P^1 delirosque P^3 || 48 atque : aut *HM* et *V* || 49 tradite : trade *V* || 50 ac : et *V* || ut : aut *Sg* || 51 quo : *om.* P^1 || quamque : quemque *G* quique *g HM* || quo die... nominibus : *om.* *B* || 52 nominibus : num- *G* || quibus : -busque *Sg H* || aduocemus : uocemus *BG* || 53 minutos : imminutos *P* || aceruatim : -batim *Sg* || 54 debemus : -eamus *BG* || 55 quo : quod *BG HM* P^1 || 56 esse : *om.* *S* || 57 rationabiles : inrationabiles *G* || 60 passim : *om.* B^1 *corr.* B^3 || passim... illuc : *om.* *M* || 63 et : ut *P* || quo quamque : quoâque R quocumque *Sg HM*

qui s'en rend compte se conduirait non seulement en sot, mais même en impie, s'il niait l'existence des dieux.»

Discussion de la thèse stoïcienne

10. Eh bien, nous, nous la nions, et même avec assurance, et nous prouvons que vous, les philosophes, vous êtes non seulement ignorants et impies, mais encore aveugles, stupides et fous, car votre sottise l'emporte encore sur l'ignorance des gens incultes[1]. Pour eux, le soleil et la lune sont des dieux; pour vous, il y a encore tous les astres. **11.** Révélez-nous donc les mystères des étoiles pour que nous érigions à chacune des autels et des temples, que nous sachions selon quel rite et quel jour nous devons l'honorer, sous quels noms et avec quelles formules nous devons l'invoquer. A moins que nous ne devions rendre un culte collectif, sans jamais les distinguer, à ces dieux si difficiles à dénombrer et si minuscules?

12. D'ailleurs, le raisonnement par lequel ils établissent que tous les êtres célestes sont des dieux n'est-il pas valable en sens contraire? Car s'ils pensent que ceux-ci sont des dieux parce qu'ils ont des courses fixes et régulières, ils se trompent : cela prouve précisément, en effet, que ce ne sont pas des dieux, étant donné qu'il ne leur est pas permis de s'écarter d'itinéraires fixés à l'avance. **13.** Au reste, s'ils étaient dieux, on les verrait emportés ici et là, au hasard, sans aucune nécessité, comme les êtres vivant sur la terre, qui, parce que leurs volontés sont libres, s'en vont de ci de là, à leur gré, chacun se trouvant emporté là où le conduit son esprit. **14.** Le mouvement des astres n'est donc pas volontaire, mais soumis à la nécessité, car ils sont soumis à des lois et à des fonctions fixées d'avance. **15.** Mais, en

1. Les philosophes ne font pas mieux que les illettrés : argument classique : cf. CIC. *nat. deor.* 3,15,39; 3,16,40.

disputaret de cursibus siderum, quos ex ipsa rerum ac temporum congruentia intellegebat non esse fortuitos, existimauit uoluntarios esse, tamquam non possent tam disposite, tam ordinate moueri, nisi sensus illis inesset
70 officii sui sciens. **16.** O quam difficilis est ignorantibus ueritas, et quam facilis scientibus! « Si motus, inquit, astrorum fortuiti non sunt, nihil aliud restat nisi ut uoluntarii sint. » – Immo uero, ut non esse fortuitos manifestum est, ita nec uoluntarios. **17.** – Quomodo
75 igitur in conficiendis itineribus constantiam suam seruant? – Nimirum Deus, uniuersi artifex, sic illa disposuit, sic machinatus est ut per spatia caeli diuina et admirabili ratione decurrerent ad efficiendas succedentium sibi temporum uarietates. **18.** An Archimedes Siculus concauo
80 aere similitudinem mundi ac figuram potuit machinari, in quo ita solem lunamque composuit ut inaeqales motus et caelestibus similes conuersionibus singulis quasi diebus efficerent, et non modo accessus solis ac recessus, uel incrementa deminutionesque lunae, uerum etiam stellarum
85 uel inerrantium uel uagarum dispares cursus orbis ille dum uertitur exhiberet, Deus ergo illa uera non potuit machinari et efficere quae potuit sollertia hominis imitatione simulare? **19.** Vtrumne igitur Stoicus, si astrorum figuras in illo aere pictas effictasque uidisset, suo illa consilio

FONTES : **16** CIC. *nat. deor.* 2,16,44; *cf. supra* § 9

68 possent : -int *P* || 69 disposite : + et *H* || inesset : esset *P* || 70 sciens : *om.* *P* || est : *om.* R *post* facilis *scr.* *P* || 71 scientibus : non ignorantibus *P* || motus] inquit : *hic des.* *G*

RSg B HM PV

72 fortuiti : -tu *HM* || 75 seruant : seruauit *S* || 79 an : inde *M* || 80 aere : -i *HM* || ac figuram : figuramque *Sg HM* || 82 similes... efficerent : *om. M qui post* caelestibus *scr.* hd, *uide infra* § *22* || 83 et : ut *g HM* || solis ac recessus : *om.* B[1] s. et r. *add.* B[3] || 85 uagarum : uagantium B[3] || 86 uera : uero H[1] || 87 et : *om.* *P* || simulare : -ari R || 88 igitur : *om.* *P* || stoicus : -is *P* || si : *om.* *P* || figuras : + et *H* || 89 illo : -a R || effictasque : effectasque *Sg HM* || uidisset : -ent *P*

discutant des courses des astres, dont le tracé et la périodicité lui faisaient comprendre qu'elles n'étaient pas dues au hasard, il a pensé qu'elles étaient volontaires ; comme si les astres ne pouvaient se mouvoir de façon si régulière et si ordonnée sans avoir eux-mêmes conscience de leur fonction ! **16.** Combien la vérité est-elle difficile pour les ignorants, et comme elle est facile pour ceux qui savent ! « Si les mouvements des astres, dit-il, ne sont pas fortuits, il ne reste qu'une explication, c'est qu'ils soient volontaires. » Bien au contraire, dès lors qu'à l'évidence ils ne sont pas fortuits, c'est qu'ils ne sont pas non plus volontaires. **17.** –Mais alors, comment conservent-ils cette régularité pour parcourir leurs routes ? – C'est tout simplement que Dieu, artisan de l'univers, les a mis en place et les a réglés de façon qu'ils se déplacent dans les espaces du ciel selon une loi divine et admirable, pour déterminer les diverses époques qui se succèdent. **18.** Eh quoi ! Le sicilien Archimède a pu faire fonctionner, dans une sphère de bronze, une représentation figurée du monde, dans laquelle il a si judicieusement placé le soleil et la lune, qu'ils accomplissent des déplacements inégaux et analogues à ceux de leurs modèles célestes, comme si c'était la succession des jours, et, par ces rotations, ce mécanisme présente non seulement les montées et les descentes du soleil ou les phases croissantes et décroissantes de la lune, mais encore les courses toutes différentes des étoiles et des astres errants et vagabonds, et Dieu n'aurait pas pu organiser et mettre en place ce que l'habileté humaine a pu représenter en l'imitant[1] ? **19.** Est-ce qu'un Stoïcien qui aurait vu ces astres en miniature peints et mis en place sur cette

1. Note détaillée et bibliographie sur ce *planetarium* chez A.S. PEASE, éd. de CIC. *nat. deor.* p. 788 s. La description de Lactance semble inspirée de celle que donne Philus dans CIC. *rep.* 1,14,22, mais l'argumentation est celle de CIC. *nat. deor.* 2,38,9.

90 moueri diceret ac non potius artificis ingenio? Inest ergo sideribus ratio ad peragendos meatus suos apta, sed Dei est illa ratio qui et fecit et regit omnia, non ipsorum siderum quae mouentur.

20. Nam, si solem stare uoluisset, perpetuus utique dies 95 esset. Item, si motus astra non haberent, quis dubitat sempiternam noctem futuram fuisse? **21.** Sed, ut diei ac noctis uices essent, moueri ea uoluit, et tam uarie moueri ut non modo lucis atque tenebrerarum mutuae uicissitudines fierent, quibus laboris et quietis alterna spatia constarent, 100 sed etiam frigoris et caloris, ut diuersorum temporum uis ac potestas uel generandis uel maturandis frugibus conueniret. **22.** Quam sollertiam diuinae potestatis in machinandis itineribus astrorum quia philosophi non uidebant, animalia esse sidera putauerunt, tamquam pedibus et 105 sponte, non diuina ratione procederent. **23.** Cur autem illa excogitauerit Deus, quis non intellegit? Scilicet ne solis lumine decedente nimium caeca nox taetris atque horrentibus tenebris ingrauesceret noceretque uiuentibus. Itaque et caelum simul mira uarietate distinxit et tenebras ipsas 110 multis minutisque luminibus temperauit.

24. Quanto igitur Naso prudentius quam illi qui sapientiae studere se putant, qui sensit a Deo lumina illla ut horrorem tenebrarum depellerent instituta! Is eum librum

FONTES : **23** *Cf.* CIC. *nat. deor.* 2,36,92

90 diceret : -rent *P* dicent *g* || inest : idest *S* || 91 meatus : -os R¹*B*¹ *corr.* *B*³ motus *Sg HM* || 92 et fecit : effecit R et facit *P* fecit *g* || 94 solem : sol *B* || 95 dubitat : -aret *B HM* || 96 noctem : -es *V*¹ || 97 uices : -is *P*¹ || essent : + item *B* || tam : tamen *H P* || 98 atque : et *B* ac *P* || 99 quibus : *om.* R || 104 *post* putauerunt : hp̂ similes... effecerit *add.* *M cf.* § 18 || et : *om.* *HM* || 107 horrentibus : horrendis *P* || 110 minutisque : minutis *P* || 111 prudentius : prouidentius *HM* || 113 is : his *B*

maquette de bronze, dirait pour autant que cet ensemble doit son mouvement à sa propre volonté, et non pas plutôt à l'ingéniosité de son artisan ? Il y a donc bien, dans le cas des astres, une raison capable de diriger leur course, mais c'est la raison de Dieu, qui a fait et qui régit toutes choses, et non pas celle des astres, qui sont soumis à un mouvement.

20. De fait, s'il avait voulu que le soleil demeurât immobile, il y aurait à coup sûr un jour perpétuel. De plus, si les astres n'avaient pas été en mouvement, il y aurait eu, chacun le comprendra, une nuit éternelle. **21.** Mais, pour qu'il y eût alternance du jour et de la nuit, il a voulu que ceux-ci fussent en mouvement, et que leurs mouvements fussent assez variés pour entraîner non seulement les successions alternées de la lumière et des ténèbres, qui devaient déterminer les temps respectifs du travail et du repos, mais encore celles de la chaleur et du froid, pour que la force vitale des diverses saisons pût convenir à la production et à la maturation des fruits de la terre. **22.** Et comme les philosophes ne distinguaient pas l'habileté de la puissance divine dans l'organisation des cours des astres, ils ont pris ces astres pour des êtres vivants, comme s'ils se déplaçaient à pied et librement, et non sous l'effet d'une raison divine. **23.** Et la raison pour laquelle Dieu les a inventés, qui ne la comprend ? Il s'agissait simplement d'empêcher que, au déclin de la lumière, une nuit totalement aveugle ne rendît encore plus pesantes des ténèbres noires et effrayantes, et ne fît du tort aux êtres vivants. Voilà pourquoi il a d'abord établi une admirable diversité dans le ciel, et, d'autre part, tempéré les ténèbres elles-mêmes par de nombreuses et minuscules lumières.

24. Comme Nason a fait preuve de plus de pénétration que ceux qui croient s'appliquer entièrement à la sagesse ! Il a compris que c'est Dieu qui avait mis ces luminaires en place, pour chasser la frayeur provoquée par les ténèbres. Il

quo *Phaenomena* breuiter comprehendit his tribus uersibus
115 terminauit :

«Tot numero talique deus simulacra figura
Imposuit caelo perque atras sparsa tenebras
Clara pruinosae iussit dare lumina nocti!»

25. Quodsi fieri non potest ut stellae dii sint, ergo ne sol
120 quidem ac luna dii esse possunt, quoniam luminibus astrorum non ratione differunt, sed magnitudine. Quodsi hii dii non sunt, ergo ne caelum quidem in quo illa omnia continentur. **26.** Simili modo, si terra, quam calcamus, quam subigimus et colimus ad uictum[c], deus non est, ne
125 campi quidem ac montes dii erunt : si hi non sunt, ergo ne tellus quidem uniuersa deus uideri potest. **27.** Item si aqua, quae seruit animantibus ad usum bibendi aut lauandi, deus non est, ne fontes quidem ex quibus aqua profluit; si fontes non sunt, ne flumina quidem quae de fontibus
130 colliguntur; si flumina quoque dii non sunt, ergo et mare, quod ex fluminibus constat, deus haberi non potest. **28.** Quodsi neque caelum, neque terra, neque mare, quae mundi partes sunt, dii esse possunt, ergo ne mundus quidem totus deus est, quem idem ipsi Stoici et animantem
135 et sapientem esse contendunt et propterea deum.

FONTES : **24** OV. *phaen. frg.* **25-28** *Cf.* CIC. *nat. deor.* 3,20,51-52 **28** *Cf.* CIC. *nat. deor.* 2,8,21-22; SEN. *nat.* 2,45; PS. PLVT. *placit.* 882 A

114 quo : quos *P*1 || 116 figura : -as *S HM* || 117 imposuit : inposui *B*1 || atras : astra *R* || 118 dare : dari *M* || lumina : numina *P*1 || 119 quodsi : si *H* || ergo : *om. H* || ne : nec *H P* || 120 esse : + non *P*1 || 122 hii : hi *S H V Br.* (dii *ante* hi *S HM)* || ne : nec *S B H PV* || 123 terra : -am *HM* || 124 et colimus : *om. B* || ne : nec *g B H P* || 125 hi : hii *g B PV* || ne : nec *R* || 127 bibendi : uiuendi R uibendi *P*1 || 128 ne : nec R || 129 ne : nec *B* || 130 et : *om. HM* || 132 neque (caelum) : ne *P*1

c. Gen. 1, 28; 2, 15; 3, 17.

1. Fragment d'une œuvre d'Ovide dont il nous reste, par ailleurs,

a achevé l'ouvrage dans lequel il a rapidement résumé les *Phénomènes* par les trois vers que voici :

« Tel est le si grand nombre des images que le dieu a placées dans le ciel ; il les a dispersées dans les noires ténèbres et leur a enjoint de donner leur lumière éclatante aux brouillards de la nuit[1]. »

25. Si donc il n'est pas possible que les planètes soient des dieux, le soleil et la lune ne peuvent pas non plus être des dieux, puisque, s'ils se distinguent des astres lumineux, ce n'est pas par leur mécanisme, mais par leur grandeur. Et s'ils ne sont pas dieux, le ciel, dans lequel ils sont tous contenus, ne l'est pas non plus. **26.** De semblable manière[2], si le sol que nous foulons, que nous soumettons, que nous cultivons pour nous nourrir, n'est pas un dieu, les plaines et les montagnes ne le seront pas non plus ; si elles ne le sont pas, l'ensemble de la terre entière ne peut pas non plus être pris pour tel. **27.** Et également si l'eau, qui est au service des êtres vivants pour leur boisson et leur toilette, n'est pas un dieu, les sources, d'où coule cette eau, ne le sont pas non plus ; si les sources ne le sont pas, les fleuves ne le sont pas non plus, eux qui rassemblent l'eau des sources ; et si les fleuves également ne sont pas des dieux, alors la mer, qui est formée par les fleuves, ne peut être considérée comme un dieu. **28.** Et si ni le ciel, ni la terre, ni la mer, qui sont les parties du monde, ne peuvent être des dieux, on ne peut pas alors considérer comme dieu l'ensemble de ce monde, dans lequel ces mêmes Stoïciens veulent voir un être vivant et doué de sagesse, et par conséquent un dieu.

deux autres vers cités par PROB. *Verg. georg.* 1,138 : cf. E. BAEHRENS *Fragmenta poetarum romanorum,* Leipzig, 1886, p. 349.

2. Si l'on doit se reporter à l'édition de la *PL,* on prendra garde que celle-ci fait commencer ici un chapitre 6, qui s'achève à notre § 42 ; il s'ensuit donc, à partir du chapitre 6, un décalage d'une unité entre *PL* d'une part, *CSEL* et *SC* d'autre part.

In quo tam inconstantes fuerunt ut nihil ab his dictum sit quod non ab isdem fuerit euersum. **29.** Sic enim argumentantur : fieri non posse ut sensu careat quod sensibilia ex se generat; mundus autem generat hominem, 140 qui est sensu praeditus : ergo et ipsum esse sensibilem; **30.** item, sine sensu esse non posse cuius pars habeat sensum : igitur, quia homo sensibilis est, etiam mundo cuius pars est homo inesse sensum. **31.** Propositiones quidem uerae sunt, et sensibile esse quod sensu praeditum 145 gignat, et habere sensum cuius pars sensu aucta sit; sed adsumptiones falsae quibus argumenta concludunt, quia neque mundus generat hominem neque homo mundi pars est. Nam hominem a principio idem Deus fecit qui et mundum[d], et non est pars mundi homo sicut corporis 150 membrum : **32.** potest enim mundus esse sine homine, sicut urbs et domus. Atquin, ut domus unius hominis habitaculum est et urbs unius populi, sic et mundus domicilium est totius generis humani : et aliud est quod incolitur, aliud quod incolit.

155 **33.** Sed illi dum student id quod falso susceperant confirmare, et sensibilem esse mundum et deum, non uiderunt argumentorum suorum consequentia. **34.** Nam, si mundi pars est homo et sensibilis est mundus quia homo sentit, ergo, quia mortalis est homo, mortalis 160 sit et mundus necesse est; nec tantum mortalis, sed et omnibus morbis passionibusque subiectus. **35.** Et, e

136 his : hiis *g* iis *Br.* || 137 euersum : -us M^1 || 138 quod : qui S^1 || 140 et : + id *HM* || 142 est (homo) : et *R* || 143 sensum : -sum̩ *HM* + respondeo *g* || 144 praeditum : -dictum *S* || 145 gignat : -et H^1M -it H^2 || sensu : -i *S* || 147 generat : -ant P^1 || pars : par B^1 || 149 sicut : sic *S* || 150 enim : etenim *Sg* || 151 sicut : ut *P* || atquin ut : ut qu**** B^1 ut quomodo B^2 || 152 et¹ : ut *R* || 153 aliud : aut *S* || 155 et¹ (sensibilem) : *om.* R *B* || sensibilem : -le *S B* || et (deum) : *om. B* || 159 sentit... homo : *om. P* || homo : *om. B*

d. Gen. 1.

Les contradictions des Stoïciens

Dans ce domaine, ils ont d'ailleurs été si versatiles qu'il n'est aucune de leurs affirmations qu'ils n'aient eux-mêmes renversée. **29.** Voici comment ils raisonnent : ce qui engendre par soi-même des êtres doués de sens ne peut manquer de sens ; or le monde engendre l'homme, qui est doué de sens ; il est donc lui aussi doué de sens. **30.** Autre raisonnement : un tout dont une partie est douée de sens ne peut manquer de sens : donc, puisque l'homme est doué de sens, il y a également du sens dans le monde, dont l'homme est une partie. **31.** A la vérité, les majeures sont justes : ce qui donne naissance à un être doué de sens est également doué de sens ; est doué de sens également tout ensemble dont une partie est pourvue de sens. Mais les mineures sont fausses, par lesquelles ils en viennent à leurs conclusions : ce n'est pas le monde qui engendre l'homme, et l'homme n'est pas une partie du monde. Car l'homme a été fait, dès le commencement, par le même Dieu qui a fait aussi le monde, et l'homme n'est pas une partie du monde comme un membre est une partie d'un corps. **32.** Car le monde peut exister sans hommes, tout comme une ville et une maison. D'ailleurs, tout comme une maison est la résidence d'un seul homme, et une ville celle d'un seul peuple, de même le monde est le domicile de toute l'espèce humaine. Et autre chose est ce qui est habité, autre chose est ce qui habite.

33. Quant à eux, en s'appliquant à démontrer ce qu'ils avaient admis à tort, c'est-à-dire que le monde est doué de sens et dieu, ils n'ont pas vu les conséquences de leurs théories. **34.** Car, si l'homme est une partie du monde et que le monde est doué de sens parce que l'homme a des sensations, dès lors, puisque l'homme est mortel, le monde doit nécessairement être mortel, et non seulement mortel, mais encore soumis à toutes les maladies et à toutes les passions. **35.** Et, en prenant le raisonnement par l'autre

contrario, si deus est mundus et partes eius utique immortales sunt, ergo et homo deus est, quia pars est, ut dicitis, mundi. Si homo, ergo et iumenta et pecudes et cetera
165 genera bestiarum et auium et piscium, quoniam et illa eodem modo sentiunt et mundi partes sunt. **36.** – At hoc tolerabile est : nam et haec colunt Aegyptii. – Sed res eo peruenit ut et ranae et culices et formicae dii esse uideantur, quia et ipsis inest sensus et ex parte mundi sunt.
170 Ita semper argumenta ex falso petita ineptos et absurdos exitus habent.

37. Quid quod idem ipsi aiunt deorum et hominum causa mundum esse constructum quasi communem domum? Ergo mundus nec deus est nec animans, si
175 constructus est : animans enim non construitur sed nascitur, et si est aedificatus, sic utique tamquam domus, tamquam nauis. Est ergo aliquis artifex mundi Deus, et seorsum erit mundus qui factus est, seorsum ille qui fecit.

38. Iam illud quam repugnans et absurdum quod, cum
180 caelestes ignes ceteraque mundi elementa deos esse adfirment, idem mundum ipsum deum dicunt! Quomodo potest ex multorum deorum aceruo unus deus confici? **39.** Si astra dii sunt, mundus ergo non deus, sed domicilium deorum est. Si uero mundus deus est, ergo illa omnia
185 quae sunt in eo non dii sunt, sed dei membra, quae utique sola dei nomen accipere non possunt. **40.** Nec enim recte

FONTES : **37** *Cf.* CIC. *nat. deor.* 2,61,154

162 eius : *om. B* || 164 homo ergo : ~ *Sg HM* || 165 quoniam : quia *B* || 169 uideantur : dantur *V*[1] || ex (parte) : *om. B P*[1] || 170 ex : et *B* || argu[menta : *hinc inc. G pag. 21 quae uix legi potest*

RSg B(G) HM PV

172 quid quod : quicquid *HM* || idem : *om. S* || ipsi : *om. B* || 173 communem : -e *HM*[1] || 174 si... animam : *om. P*[1] || 175 enim : *om. HM P* || 178 erit... seorsum : *om. P*[1] || seorsum[1] : -us *S HM* || qui : quia *R* || seorsum[2] : -us *S HM* || 179 quam : qua *S*[1] || cum : qui *B* || 180 ceteraque :

bout, si le monde est dieu, ses parties sont alors immortelles, et donc l'homme est dieu, puisqu'il est, selon vous, une partie du monde. Si c'est vrai pour l'homme, c'est donc vrai aussi pour les animaux de trait et les troupeaux et toutes les espèces de bêtes sauvages, d'oiseaux et de poissons, puisque tous ceux-là ont des sens et sont des parties du monde. **36.** – Mais, dira-t-on, cette proposition est acceptable : de fait, les Égyptiens adorent tous ces êtres. – On en arrive alors à ce que grenouilles, moustiques et fourmis soient pris pour des dieux, parce qu'ils ont aussi des sens et sont une partie du monde. Il en va toujours ainsi : les arguments tirés de l'erreur ont des conséquences stupides et absurdes.

37. Ces mêmes philosophes ne disent-ils pas encore que le monde a été construit pour les dieux et les hommes, comme une sorte de demeure commune? Alors, le monde n'est ni dieu ni vivant, s'il a été construit : car un être vivant n'est pas construit, mais il naît; et s'il a été bâti c'est alors comme une maison, comme un navire. Il y a dans ce cas un constructeur du monde, Dieu, et, d'un côté, il y aura le monde qui a été fait, et de l'autre celui qui l'a fait.

38. Autre contradiction pleine d'absurdité : ils soutiennent que les feux célestes et les autres éléments du monde sont des dieux, et ils disent en même temps que le monde lui-même est dieu! Comment peut-on, à partir d'un amas de dieux multiples, obtenir un dieu unique? **39.** Si les astres sont des dieux, le monde n'est donc pas un dieu, mais le domicile des dieux. Mais si c'est le monde qui est dieu, tous les éléments qui sont en lui ne sont pas des dieux, mais des membres de dieux qui, en tout cas, ne peuvent recevoir à eux seuls individuellement le nom de dieu. **40.** En effet, on ne pourrait en aucune façon affirmer

+ quae *P* || adfirment : -ant *B* || 181 dicunt : -ant *HM* || 186 sola dei : soli dii *V* solidi *R B P*

quis dixerit membra hominis unius multos homines esse. – Sed tamen non est similis comparatio animalis et mundi. Animal enim, quia sensu praeditum est, etiam membra eius
190 habent sensum, nec nisi a corpore diuulsa brutescunt. **41.** – Cuius igitur rei similitudinem gerit mundus? – Nimirum ipsi docent, cum factum esse non diffitentur ut esset diis et hominibus quasi communis domus. Si ergo est constructus ut domus, nec ipse deus est nec elementa quae
195 sunt partes eius, quia neque domus habere dominium sui potest neque illa de quibus domus constat. **42.** Non tantum igitur ueritate, sed etiam uerbis suis reuincuntur. Sicut enim domus in usum habitandi facta per se nihil sentit dominoque subiecta est qui eam fecit aut incolit, ita
200 mundus per se nihil sentiens factori Deo subiacet, qui eum in usum sui fecit.

CAPVT VI

1. Duplici ergo ratione peccatur ab insipientibus, primum quod elementa, id est Dei opera, Deo praeferunt[a], deinde quod elementorum ipsorum figuras humana specie comprehensas colunt. **2.** Nam solis lunaeque simulacra
5 humanun in modum formant, item ignis et terrae et maris,

FONTES : **41** *Cf.* CIC. *rep.* 1,13,19

189 sensu : -um *S* || 190 a corpore : corpora *S* || *post* brutescunt *repet.* diuulsa B^3 || 195 neque : *om.* R || domus : dominum *V* || 197 uerbis suis : uerbi s* (e *eras.*) *V* || reuincuntur : -itur B^1 *corr.* B^3 || 198 sicut : sic S^1 || enim : igitur *P* || usum : -u *Sg HM* || 201 fecit : facit B^1 *(corr.* B^3*) G*
2 quod elementa... deinde : *om.* B^1 *add.* B^3 *(qui scr.* elemta) || quod elementa id : elementa quod *P* || 4 comprehensas : -os B^1 *corr.* B^3 comprensas *P* || 5 ignis : -es *V*

a. Sag. 13, 1; Rom. 1, 23.25; Gal. 4, 9.

raisonnablement que les membres d'un homme unique constituent une multitude d'hommes. – Mais on ne peut établir une comparaison exacte entre un être vivant et le monde. Car, étant donné que l'être vivant est doué de sens, ses membres sont aussi doués de sens, et ils ne deviennent insensibles que s'ils sont séparés du corps. **41.** – Alors à quoi peut-on comparer le monde? – Ils nous l'enseignent précisément eux-mêmes quand ils n'hésitent pas à dire qu'il a été construit pour être une sorte de maison commune à l'usage des dieux et des hommes. Si donc il a été construit comme une maison, il n'est pas dieu, pas plus que les éléments qui sont des parties de lui-même, car une maison ne peut avoir sur elle-même de droit de propriété, pas plus que les éléments qui constituent la maison. **42.** Ils se trouvent ainsi convaincus d'erreur, non seulement par la vérité, mais aussi par leurs propres paroles. Car toute maison construite à usage d'habitation ne ressent rien par elle-même et se trouve à la disposition du maître qui l'a faite ou qui l'habite : de même le monde qui ne ressent rien par lui-même se trouve à la disposition du Dieu bâtisseur, qui l'a fait à son propre usage.

CHAPITRE VI

Le culte des dieux est le culte de la matière

1. Ces ignorants commettent donc une double erreur : d'abord ils font passer des éléments, c'est-à-dire l'œuvre de Dieu, avant Dieu lui-même; ensuite, de ces mêmes éléments, ils se sont donné des représentations à figure humaine, auxquelles ils rendent un culte. **2.** De fait, ils fabriquent des images du soleil et de la lune qui ont une allure humaine; il en va de même pour le feu, la terre et la mer, qu'ils appellent Vulcain,

quae illi Vulcanum, Vestam, Neptunum uocant, nec elementis ipsis in aperto litant. Tanta homines imaginum cupiditas tenet ut iam uiliora ducantur illa quae uera sunt : auro scilicet et gemmis et ebore delectantur! **3.** Horum
10 pulchritudo ac nitor praestringit oculos nec ullam religionem putant ubicumque illa non fulserint. Itaque sub obtentu deorum auaritia et cupiditas colitur. Credunt enim deos amare quidquid ipsi concupiscunt, quidquid est propter quod furta et homicidia et latrocinia cottidie
15 saeuiunt, propter quod bella per totum orbem populos urbesque subuertunt. **4.** Consecrant ergo diis manubias et rapinas suas, quos certe necesse est imbecillos esse ac summae uirtutis expertes, si subiecti sunt cupiditatibus. **5.** Cur enim caelestes eos putemus, si desiderant aliquid de
20 terra, uel beatos si aliqua re indigent, uel incorruptos si uoluptati habent ea in quibus appetendis cupiditas hominum non immerito damnatur?

6. Veniunt igitur ad deos non tam religionis gratia, quae nulla potest esse in rebus male partis et corruptibilibus,
25 quam ut aurum oculis hauriant, nitorem leuigati marmoris aut eboris adspiciant, ut insignes lapillis et coloribus uestes uel distincta gemmis fulgentibus pocula insatiabili contemplatione contrectent. Et quanto fuerint ornatiora templa et pulchriora simulacra, tanto plus maiestatis habere cre-

7 in : + euento *B* || homines : -em *V*[1] || imaginum : -em *V*[1] || 8 iam : etiam *g HM* || 9 et : *om. Sg HM* || 10 ac nitor : agnitor *V* || praestringit : -tingit *B*[1] || 11 fulserint : -rit R || 14 furta... quod : *om. P* || et[1] : *om. H* || et[2] : uel *Sg* || 19 cur enim] *hic des. G*

RSg B HM PV

caelestes : -tis *V*[1] || si : qui *Sg* || aliquid : -qui *R*[1] *V* || de : e *S HM V* || 24 potest esse : ~ *B* || corruptibilibus : corruptilibus *R P* || 26 lapillis : -os *P* -i *M* || 29 creduntur : -antur R

1. Vesta était parfois considérée aussi comme déesse de la terre (cf. ARN. *nat.* 3,32; AVG. *ciu.* 7,16), à cause de certaines étymologies

Vesta[1] et Neptune, et ils ne sacrifient jamais directement aux éléments. Les hommes sont tellement attachés à ces images qu'ils estiment beaucoup moins les réalités qu'elles représentent : ce qui les réjouit, évidemment, c'est l'or, les pierres précieuses et l'ivoire. **3.** Leur beauté et leur éclat allument les regards, et on pense qu'il n'y a pas de religion là où ne resplendit pas tout cela. Et ainsi, sous le couvert des dieux, c'est à la cupidité et à la convoitise que l'on offre un culte. Car les hommes croient que les dieux aiment tout ce qui leur fait envie à eux, tout ce qui les pousse chaque jour aux vols, aux meurtres et aux pillages, tout ce qui les pousse à faire la guerre dans le monde entier, à tous les peuples et à toutes les cités. **4.** Ils consacrent donc butins et rapines à des dieux qui sont nécessairement impuissants et ne détiennent pas la vertu suprême, s'ils sont soumis aux convoitises. **5.** Pourquoi, en effet, les prendre pour des êtres célestes, s'ils désirent quelque chose de terrestre, les croire heureux s'ils manquent de quelque chose, ou les croire purs s'ils se complaisent en des plaisirs que l'on condamne à juste titre quand ce sont les hommes qui les poursuivent?

6. S'ils approchent des dieux, c'est donc moins à cause d'un sentiment religieux, qui ne peut exister à l'égard d'objets fabriqués pour leur perte et périssables, que pour manger des yeux ce qui est en or, contempler l'éclat du marbre ou de l'ivoire polis, saisir d'un regard insatiable des vêtements rehaussés de pierreries ou de teintures, ou encore des coupes ornées de gemmes éclatantes. Plus les temples sont décorés, plus les statues sont belles, et plus grande est à leurs yeux la majesté des dieux : tant il vrai que

comme celle que propose implicitement Ov. *fast.* 6,299 : «stat ui terra sua, *ui sta*ndo *Vesta* uocatur».

30 duntur : adeo religio eorum nihil est aliud quam quod cupiditas humana miratur !

7. Hae sunt religiones quas sibi a maioribus suis traditas pertinacissime tueri ac defendere perseuerant, nec considerant quales sint, sed ex hoc ueras ac probatas esse confidunt 35 quod eas ueteres tradiderunt, tantaque est auctoritas uetustatis ut inquirere in eam scelus esse ducatur. Itaque creditur ei passim tamquam cognitae ueritati. **8.** Denique, apud Ciceronem sic dicit Cotta Lucilio : « Habes, Balbe, quid Cotta, quid pontifex sentiat. Fac nunc ego intellegam quid 40 tu sentias : a te enim philosopho rationem religionis accipere debeo, maioribus autem nostris etiam nulla ratione reddita credere. » **9.** Si credis, cur ergo rationem requiris, quae potest efficere ne credas ? Si rationem quaerendam putas, ergo non credis : ideo enim quaeris ut eam 45 sequare cum inueneris. **10.** Docet ecce te ratio non esse ueras deorum religiones : quid facies ? Maioresne potius an rationem sequeris, quae quidem tibi non ab alio insinuata, sed a te ipso inuenta et elata est, cum omnes religiones radicitus eruisti ? **11.** Si rationem mauis, discedere te 50 necesse est ab institutis et auctoritate maiorum, quoniam id solum rectum est quod ratio praescribit : si autem pietas

FONTES : **8** CIC. *nat. deor.* 3,2,6

30 quod cupiditas : cupiditas quam ratio *B* || 34 ueras ac probatas probatas atque ueras *V* || 39 tantaque : tanta *P*[1] || 36 in : *om.* *B* || eam : e *Sg HM* || scelus : sceleris *B* || ducatur : dicatur *B V* || 38 sic dicit : *om.* *B add.* *B*[3] || 39 intellegam : -go *P* || 40 a te : ait *HM* || philosopho : -us *B corr.* *B*[3] || 41 maioribus : a maioribus *M* a maioris *H* || nostris : uestris *S* 42 ratione : ratio *H M*[1] || credere : crede *HM* crederet V[1] (-erem *V*[2] rationis est credere *g P* || 43 requiris : -es *P* || si : sin *g V Br.* || rationem + requiris et *g P* || 44 enim : ergo *HM* || 46 deorum religiones : ~ *V* facies : -as *B* || 47 tibi non : *Sg HM* || ab : *om.* *P* || 48 omnes : -is *R*[1] || 4 eruisti : seruisti *R* || 51 ratio : -ione *HM* || praescribit : perscribit *HM* autem : enim *Sg HM*

1. Cette mise en garde contre les risques que l'on encourt quand on s

leur religion n'est rien d'autre que le culte de ce qu'admire la convoitise humaine!

Attachement déraisonnable à la tradition

7. Voilà les religions que leur ont transmises leurs ancêtres, et qu'ils s'obstinent à protéger et à défendre avec le plus grand acharnement; et ils n'examinent pas ce qu'elles sont, mais ils les considèrent comme véritables et démontrées, puisque ce sont les anciens qui les ont transmises; et l'antiquité a tant de prestige à leurs yeux que la regarder d'un œil critique est considéré comme un crime. C'est pourquoi on lui fait partout confiance comme à une vérité reconnue[1]. **8.** Finalement, chez Cicéron, Cotta s'adresse à Lucilius en ces termes : « Tu sais, Balbus, ce que pense Cotta, ce que pense le pontife. Fais en sorte qu'à mon tour je comprenne ce que toi tu penses. Car de toi, le philosophe, je dois recevoir une justification de la religion, tandis qu'aux anciens je dois faire confiance, même sans qu'aucune raison me soit présentée. » **9.** Si tu crois, pourquoi donc recherches-tu une raison qui peut t'empêcher de croire? Si tu penses au contraire qu'il faut rechercher une raison, c'est que tu ne crois pas : car tu la recherches pour pouvoir la suivre quand tu l'auras trouvée. **10.** Et voici que la raison t'enseigne que les religions des dieux ne sont pas vraies. Que vas-tu faire? Suivras-tu plutôt les anciens ou la raison qui n'a pas été introduite en toi par un étranger, mais que tu as toi-même trouvée et découverte, quand tu as abattu de fond en comble toutes les religions? **11.** Si tu choisis la raison, il te faut nécessairement t'écarter des traditions et de l'autorité des anciens, puisque la seule chose droite est ce que prescrit la raison; mais si la piété filiale te conseille

fie à la tradition est fréquente chez les apologistes (références dans J. Beaujeu, éd. de Minucius Felix, *CUF*, p. 114).

maiores sequi suadet, fatere igitur et illos stultos fuisse, qui excogitatis contra rationem religionibus seruierunt, et te ineptum, qui id colas quod falsum esse conuiceris.
55 **12.** Sed tamen quoniam nobis tanto opere maiorum nomen opponitur, uideamus tandem qui fuerint maiores illi, a quorum auctoritate discedi nefas ducitur.

13. Romulus Vrbem conditurus pastores inter quos adoleuerat conuocauit, cumque is numerus condendae urbi
60 parum idoneus uideretur, constituit asylum. Eo passim confugerunt ex finitimis locis pessimi quique sine ullo condicionis discrimine. **14.** Ita conflauit ex his omnibus populum legitque in senatum eos qui aetate anteibant et *patres* appellauit, quorum consilio gereret omnia. De quo
65 senatu Propertius elegiarum scriptor haec loquitur :

«Bucina cogebat priscos ad uerba Quirites,
Centum illi in prato saepe senatus erat.
Curia, praetexto nunc quae nitet alta senatu,
Pellitos habuit, rustica corda, patres.»

70 **15.** Hi sunt *patres* quorum decretis eruditi ac prudentes uiri deuotissime seruiant, idque uerum atque immutabile omnis posteritas iudicet quod centum pelliti senes statutum esse uoluerunt; quos tamen, ut in primo libro dictum est, Pompilius illexit ut uera esse crederent sacra

FONTES : **13** *Cf.* LIV. 1,8 **14** PROP. 4,1,13-14; 11-12

52 maiores : -is *V* || maiores sequi : maior esse qui *M* maiores esse quę *H* maiorestquae B^3 || fatere : fate *P* || illos stultos : ~ *B* || stultos : -us V^1 || 54 qui id : quid R^1 quod R^2 || id : et *g* || conuiceris : conuinceris R*S H* || 55 tamen : *om.* *P M* || quoniam : quia R || 56 tandem : tamen *B P V* || qui : quid *B HM* || 57 discedi : dicedendi R^1 discedendi R^2 disceri P^1 discediri P^2 discendedi P^3 || 58 urbem : orbem H^1M^1 || 59 cumque : cum B^1 *corr.* B^3 || condendae : -da P^1 || urbi : -is *HM* || 60 eo : *om.* V^1 || 62 his : hiis *g* iis R || 63 senatum : -tu *P* || 64 gereret : -ere *M* || de : e V^1 || 65 elegiarum : el**iacorum (eg *eras.)* *B* || 67 prato : -os R || erat : erant *Sg HM* || 69 pellitos : pellutos B^1 || 70 ac : *om.* *P* || 71 seruiant : seruibant B^1 seruiebant B^3 seruiunt *HM* || 72 iudicet : -at *Sg HM* || 73 ut : *om.* P^1 || 74 pompilius : + ille *B*

de suivre les anciens, avoue alors qu'ils ont été stupides, eux, de s'être mis au service de religions établies contre la raison, et que tu es toi-même inepte de rendre un culte à ce dont tu as démontré la fausseté. **12.** Mais, puisqu'on tient tellement à nous opposer le prestige des anciens, examinons donc qui étaient ces anciens dont on doit respecter l'autorité sous peine de sacrilège.

13. Romulus, juste avant de fonder Rome, réunit les bergers au milieu desquels il avait grandi, et, comme leur nombre lui semblait insuffisant pour fonder une ville, il établit un lieu d'asile. C'est là que vinrent se réfugier pêle-mêle toutes les pires canailles des environs, sans aucune distinction de condition. **14.** Avec tous ces gens-là, il forgea une nation, choisit ceux qui étaient plus âgés pour faire le Sénat et leur donna le titre de *Pères* : c'est sur leurs conseils qu'il allait tout gouverner. Au sujet de ce Sénat, voici ce qu'écrit Properce, l'auteur des élégies :

«C'était au son de la trompe que se rassemblaient, pour discuter, les antiques Quirites : cent d'entre eux dans un pré, c'était souvent tout le sénat. La Curie, qui maintenant s'élève resplendissante, avec son Sénat en robe prétexte, avait pour sénateurs des hommes vêtus de peaux, des hommes au cœur rustique[1].»

15. Voilà ce que sont ces *Pères,* aux décisions de qui se soumettent scrupuleusement des personnages savants et compétents ; et voilà que toute la postérité va considérer comme vérité intangible ce qu'aura fixé le caprice d'une centaine de vieillards vêtus de peaux de bêtes ! Et pourtant, comme on l'a dit dans le premier livre[2], (Numa) Pompilius les avait abusés pour qu'ils considèrent comme véritables

1. Dans ce qui est, chez Properce, un éloge de la simplicité primitive, Lactance voit, ou feint de voir, l'évocation d'un monde encore sauvage, et donc peu apte à la spéculation.

2. Cf. *inst.* 1,22,1-8.

75 quae ipse tradebat. **16.** Est uero quod illorum auctoritas tanti habeatur a posteris quos nemo cum uiuerent neque summus neque infimus adfinitate dignos iudicauit?

CAPVT VII

1. Quare oportet, in ea re maxime in qua uitae ratio uersatur, sibi quemque confidere suoque iudicio ac propriis sensibus niti ad inuestigandam et perpendendam ueritatem, quam credentem alienis erroribus decipi tam-5 quam ipsum rationis expertem. **2.** Dedit omnibus Deus pro uirili portione sapientiam, ut et inaudita inuestigare possent et audita perpendere. Nec quia nos illi temporibus antecesserunt, sapientia quoque antecesserunt, quae si omnibus aequaliter datur, occupari ab antecedentibus non 10 potest. **3.** Illibabilis est tamquam lux et claritas solis, quia, ut sol oculorum, sic sapientia lumen est cordis humani. **4.** Quare cum sapere, id est ueritatem quaerere, omnibus sit innatum, sapientiam sibi adimunt qui sine ullo iudicio inuenta maiorum probant et ab aliis pecudum 15 more ducuntur. **5.** Sed hoc fallit quod, maiorum nomine posito, non putant fieri posse ut aut ipsi plus sapiant, quia minores uocantur, aut illi desipuerint, quia maiores nomi-

75 quod : quo *P* || 76 quos... uiuerent : *om.* *HM* || 77 iudicauit : -abat *HM*

3 et perpendendam : *om.* *P* || 4 erroribus : erroris *B*[1] || 5 ipsum : -am *B* || 6 portione : ratione *R* || inuestigare... audita : *om.* *B* || 7 perpendere : perpderent *B*[1] perpenderent *B*[2] || 8 quoque : quodque *M*[1] || si : *om.* *B* || 10 est : et *P*[1] || 15 hoc : + eos *B* || 17 desipuerint : desipierint *HM*

1. L'*adfinitas* désigne la parenté par alliance. Lactance ironise ici sur les tentatives malheureuses faites par Romulus auprès des peuples voisins pour obtenir le *ius conubii* (cf. Liv. 1,9).

des mystères dont la tradition ne remontait qu'à lui-même. **16.** Mais y a-t-il une raison quelconque pour que la postérité accorde un si grand crédit à des gens que, de leur vivant, nul, si grand ou si petit fût-il, n'a jugés dignes d'être admis dans sa parenté[1]?

CHAPITRE VII

Préférer la raison à la tradition

1. C'est pourquoi, surtout pour ce problème, qui est l'affaire de notre vie, chaque homme ne doit se fier qu'à lui-même, et c'est sur son propre jugement et ses propres facultés, qu'il doit compter pour rechercher et examiner à fond la vérité, plutôt que de se laisser tromper en faisant confiance aux erreurs d'autrui, comme s'il était lui-même privé de raison. **2.** Dieu a donné à tous une part personnelle de sagesse, pour qu'ils pussent aussi bien rechercher l'inconnu qu'examiner à fond le connu. Et ce n'est pas parce que ceux-là nous ont précédés dans le temps qu'ils nous ont précédés sur la voie de la sagesse : car, si elle est donnée également à tous, elle ne peut être confisquée par ceux qui sont venus les premiers. **3.** Comme la lumière et la clarté du soleil, elle n'est propriété privée de personne, car, de même que le soleil est lumière pour nos yeux, de même la sagesse est lumière pour le cœur humain. **4.** C'est pourquoi, alors qu'être sage, c'est-à-dire chercher la vérité, est quelque chose d'inné en chaque homme, ils se privent de sagesse ceux qui reprennent sans aucune réflexion les découvertes de leurs aînés et se laissent conduire par les autres comme un troupeau. **5.** Ce qui les trompe, c'est qu'une fois qu'on a évoqué le titre d'aînés, ils considèrent comme impossible qu'ils soient eux-mêmes plus sages, puisqu'ils sont appelés cadets, ou que les autres soient moins sages, parce qu'on les appelle aînés.

nantur. **6.** Quid ergo impedit quin ab ipsis sumamus exemplum, ut, quomodo illi quae falsa inuenerant posteris 20 tradiderunt, sic nos qui uerum inuenimus posteris meliora tradamus?

7. Superest ingens quaestio, cuius disputatio non ab ingenio sed a scientia uenit : quae pluribus explicanda erit, ne quid omnino dubium relinquatur. Nam fortasse aliquis 25 ad illa confugiat quae a multis et non dubiis traduntur auctoribus, eos ipsos quos docuimus deos non esse, maiestatem suam persaepe ostendisse et prodigiis et somniis et auguriis et oraculis. **8.** Et sane multa enumerari possunt digna miraculo, in primis illud quod Attus Nauius 30 summus augur, cum Tarquinium Priscum moneret ut nihil noui facere inciperet nisi prius esset inauguratus, eique rex artis eius eleuans fidem diceret ut consultis auibus renuntiaret sibi utrumne fieri posset id quod ipse animo concepisset, adfirmaretque Nauius posse, «Cape igitur, inquit, 35 hanc cotem eamque nouacula dissice.» At ille incunctanter

FONTES : **8** *Cf.* MIN. FEL. 7,3; LIV. 1,36; PARIS 1,4,1; NEPOT. 1,4,2

18 quin : quid M[1] || 19 ut : et *Sg HM* || quae : qua *M* || 20 uerum : -a *M* || 21 tradamus : damus *HM* || 22 disputatio : dispositio *HM* || 24 nam : *om. HM* || 25 a : + et *M* || 26 docuimus : docui *P* || 28 enumerari : numerari *B* || 29 attus : attius *S B* actus *H* || nauius : naeuius *B* || 30 summus : *om. B* || 31 noui : *om.* R || inciperet : -re *B*[1] *corr. B*[3] || 33 utrumne : utrum *HM* || posset : -it *P* || 34 nauius : naeuius *B* || cape : accipe *B* || inquit hanc : ~ P || inquit] hanc : *hic denuo inc. G RSg BG HM PV*

35 eamque : meamque *B* || nouacula : -â *M* || ille : -a *S*

1. Ici commence un développement analogue au passage dans lequel, chez Minucius Felix, Cécilius montre que le peuple romain a toujours été récompensé de sa fidélité aux dieux (chap. 7). Il s'agit, chez l'un comme chez l'autre, d'une «objection recevable» des païens, qui sera réfutée de la même façon dans les deux œuvres : la réalité des prodiges est reconnue, mais ceux-ci sont attribués aux démons. Lactance s'attarde plus longuement sur les récits, et présente un catalogue beaucoup plus long.

6. Qu'est-ce qui nous empêche alors de les prendre eux-mêmes en exemple? Ainsi, de même qu'ils ont transmis à leur postérité les choses fausses qu'ils avaient trouvées, de même, nous, qui avons trouvé la vérité, nous transmettrions à notre postérité de meilleurs enseignements.

Les manisfestations de la puissance des dieux

7. Il reste un vaste problème, dont la discussion relève non pas du bons sens, mais de la science; et il nous faudra le développer davantage, afin qu'il ne reste plus aucune place pour le doute. Car peut-être en viendra-t-on à se retrancher derrière des faits que nous ont transmis de nombreux témoins au-dessus de tout soupçon : ces êtres, dont nous avons expliqué qu'ils ne sont pas des dieux, ont manifesté très souvent leur puissance, par des prodiges, des songes, des présages et des oracles. **8.** Il est bien facile d'énumérer une foule de prodiges qui peuvent faire crier au miracle[1], et d'abord celui-ci : Attus Navius, augure suprême, conseillait à Tarquin l'Ancien de ne rien entreprendre de nouveau avant d'avoir pris les augures; le roi, mettant en doute la puissance de son art, lui demanda de consulter les oiseaux et de lui dire ensuite s'il était possible d'accomplir ce qu'il avait lui-même en tête. Navius répondit que c'était possible. « Alors, prends cette pierre à aiguiser, dit le roi, et coupe-la en deux avec un rasoir. » Et celui-ci, immédiatement, la prit et la coupa[2].

2. L'anecdote, évoquée à plusieurs reprises par CICÉRON (*diu.* 1,17,32 : *rep.* 2,20,36; *nat. deor.* 2,3,9), est contée par TITE-LIVE (1,36) et résumée par Valère Maxime (pages perdues, mais connues par les deux abréviateurs : PARIS 1,4,1 ; NEPOT. 1,4,1). Aucune de ces pages ne paraît être la source directe de Lactance. Il faut essentiellement noter que la plupart des anecdotes qui suivent se trouvent déjà regroupées chez VALÈRE MAXIME (1,1 et 1,8), ce qui laisse penser que Lactance a utilisé un catalogue du genre des *Mirabilia*.

accepit ac secuit. **9.** Deinde illud quod Castor et Pollux, bello Latino, apud lacum Iuturnae uisi sunt equorum sudorem abluentes, cum aedes eorum quae iuncta fonti erat sua sponte patuisset. **10.** Idem, bello Macedonico, equis
40 albis insidentes Publio Vatieno Romam nocte uenienti se obtulisse dicuntur nuntiantes eo die regem Persen uictum atque captum : quod paucis post diebus litterae Pauli uerum fuisse docuerunt. **11.** Illud etiam mirabile quod simulacrum Fortunae Muliebris non semel locutum esse
45 traditur, item Iunonis Monetae, cum captis Veiis unus ex militibus ad eam transferendam missus iocabundus ac ludens interrogauit utrumne Romam migrare uellet, uelle respondit. **12.** Claudia quoque proponitur in exemplum miraculi : nam cum ex libris Sibyllinis Idaea Mater esset
50 accita et in uado Tiberini fluminis nauis qua uehebatur haesisset nec ulla ui commoueretur, Claudiam ferunt, quae

FONTES : 11 *Cf.* LIV. 5,22; VAL. MAX. 1,8,3

36 ac : et *Sg HM* || 37 lacum : -us *B* || iuturnae : diuturnae *HM* saturni *B* iuriri *S* || 38 sudorem : -e *B* || aedes : -is *P*[1] || iuncta : -tę *SM* -te *g* || erat : erant *Sg HM* || 39 patuisset : -ent *Sg HM* || 40 publio : pullio *M* || uenienti : aduenienti *B* || 41 nuntiantes : nuntiasse *B* || eo : ea *B* || persen : -em *H* per se *PV* || uictum : conuictum *g* quo uictum *S* inuictum *V* || 42 atque : ae *B*[1] *corr.* *B*[3] || pauli : + publi praesidis *S HM* + uel p.p. *g* || 44 fortunae : formae *B HM* || muliebris : -es *P* -lieris *HM* || 45 item : et *B* || monetae : monitae *B om. HM* || cum : quod *B* || captis ueiis : captiuis *HM* || ueiis : ueis *V* uegiis *Sg* thebis *B*[3] *(ex* ueis?) *om. M* || 46 militibus : -tis *S P*[1] || 47 interrogauit : -aret *Sg HM Br* || uelle : *om. H* uolo *M* || 49 idaea : idea *H* sidéa *V* ideam *M* deum R || 50 tiberini : tiberi *P* || 51 claudiam : -a *S* || ferunt : fuerunt *M*[1]

1. Les historiens de Rome évoquent plusieurs apparitions des Dioscures, toutes liées à l'annonce d'un succès romain : comme ici, victoire dite du lac Régille (CIC. *nat. deor.* 2,2,6; VAL. MAX. 1,8,1; DION. HALIC. 6,13); victoire sur Persée (CIC. *nat. deor.* 2,2,6; 3,5,11-13); PLVT. *Cor.* 3,4; PLIN. *nat.* 7,86; MIN. FEL. 7,3; VAL. MAX. 1,8,1; FLOR. 1,28,15); sur les Cimbres (FLOR. 1,38,20).

9. Il y a aussi l'apparition de Castor et Pollux lors de la guerre contre les Latins : on les vit laver la sueur de leurs chevaux, au bassin de la Fontaine Juturne, après que leur temple, qui était tout proche de la fontaine, se fut ouvert tout seul[1]. **10.** C'est encore eux qui, lors de la guerre de Macédoine, sont apparus à P. Vatienus qui arrivait à Rome à la tombée de la nuit[2] : montés sur des chevaux blancs, ils lui annoncèrent, dit-on, que, ce même jour, le roi Persée avait été vaincu et fait prisonnier : quelques jours plus tard, un message de Paul-Émile montra que c'était la vérité. **11.** Autre prodige admirable : la statue de *Fortuna Muliebris* a parlé, dit-on, à plusieurs reprises[3]; quand à celle de *Junon Moneta,* comme, après la prise de Véies, l'un des soldats envoyés pour la transférer lui avait demandé, par manière de plaisanterie, si elle voulait ou non s'en aller à Rome, elle avait répondu qu'elle le voulait[4]. **12.** Comme exemple de miracle, on donne aussi celui de Claudia. Sur la foi des *Oracles Sibyllins,* on avait fait venir la Mère de l'Ida, et le navire qui l'apportait s'était échoué sur un haut fond du Tibre, sans qu'aucune force pût le faire bouger. Alors, dit-on, Claudia, qui avait toujours passé pour une débau-

2. Il s'agit de Publius Vatinius (*PW* VIII A, p. 494 s.). On trouvera une longue note critique sur ce personnage et les variations de son nom dans M. VAN DEN BRUWAENE, éd. de CIC. *nat. deor.* coll. *Latomus,* t. 154, p. 30.

3. Après que Véturie eut écarté de Rome la menace de Coriolan : allusions à ces paroles chez PLVT. *Cor.* 37; *de fort. Rom.* 5; AVG. *ciu.* 4,19.

4. Lors du pillage de Véies, l'un des soldats chargés d'amener à Rome la statue de *Juno Regina* lui demanda si elle voulait bien venir, et celle-ci répondit affirmativement (LIV. 5,22). C'est à cette Junon que Camille dédia un temple sur l'Aventin (LIV. 6,20,3). Lactance comme VALÈRE MAXIME (6,3,1), confond cette *Juno Regina* avec *Juno Moneta,* dont le temple avait été élevé sur le Capitole. L'anecdote de la divinité qui accepte son transfert est liée au rite de l'*euocatio* par laquelle les Romains faisaient sortir les dieux d'une ville avant de la prendre d'assaut (cf. MACR. *sat.* 3,9,7-8).

semper impudica esset habita ob nimios corporis cultus, deam submissis genibus orasse ut, si se castam iudicaret, suum cingulum sequeretur : ita nauem, quae ab omni
55 iuuentute non ualuit commoueri, ab una muliere esse commotam. **13.** Illud aeque mirum quod, lue saeuiente, Aesculapius Epidauro accitus urbem Romam diuturna pestilentia liberasse perhibetur.

14. Sacrilegi quoque numerari possunt quorum prae-
60 sentibus poenis iniuriam suam dii uindicasse creduntur. **15.** Appius Claudius censor, cum ad seruos publicos sacra Herculis transtulisset, luminibus orbatus est, et Potitiorum gens, quae prodidit, intra unius anni tempus extincta est. **16.** Item censor Fuluius, cum ex Iunonis
65 Laciniae templo marmoreas tegulas abstulisset, quibus aedem Fortunae Equestris quam Romae fecerat tegeret, et mente captus est et amissis duobus filiis in Illyrico militantibus summo animi maerore consumptus est. **17.** Praefectus etiam Marci Antonii Turullius, cum apud Coos
70 euerso Aesculapii luco classem fecisset, eodem postea loco

FONTES : **15** *Cf.* LIV. 9,29; VAL. MAX. 1,1,17 **16** *Cf.* LIV. 42,3; VAL. MAX. 1,1,20 **17** *Cf.* VAL. MAX. 1,1,19

53 submissis : summis *M* || orasse : -set *S* adorasse *HM* || 54 ab : *om. H* || 56 lue : luce *M*[1] || saeuiente : sę ueniente *V* || 59 quorum : in quo *HM* || praesentibus : -ibus *B*[3] (-ia *B*[1]) || 60 dii : diis *S* diu *V* || uindicasse : indicasse *V* || 61 ad seruos publicos : aduersus responsum *P* || 62 luminibus : et l. *Sg HM* || est : *om. HM* || 65 laciniae : lucinae R *B* || tegulas : tabulas *Sg HM* || quibus : *om. P* || 67 et : *om. P* || in : *om. HM* || militantibus : + et *P* || 69 etiam : est *P* || 70 eodem : eadem *S*[1]

1. L'anecdote est évoquée brièvement par MIN. FEL. 7,3, dans une série d'*exempla* fort proche de celle que donne ici Lactance. Des récits plus développés figurent chez LIV. 29,14,5 s.; OV. *fast.* 4,305-328; SIL. ITAL. *Pun.* 17,33 s.

2. Le serpent que les envoyés ramenèrent d'Épidaure en 293 s'installa dans l'île Tibérine, où on lui éleva un sanctuaire. Cet épisode, évoqué encore plus bas (16,12), est raconté par TITE-LIVE (10,47, puis *perioch.*

chée, à cause des soins excessifs qu'elle apportait à sa toilette, se mit à genoux et demanda à la déesse que, au cas où elle jugerait qu'elle était restée chaste, elle suivît sa ceinture. Et alors le navire, que toute la jeunesse romaine n'avait pu déplacer, fut déplacé par une seule femme[1]. **13.** Voici un fait tout aussi admirable : lors d'une violente épidémie de peste, Esculape, qu'on avait fait venir d'Épidaure, avait délivré Rome d'un fléau qui durait depuis longtemps[2].

Châtiments de sacrilèges

14. On peut aussi faire le compte des profanateurs sur lesquels croit-on, les dieux se sont vengés, par un châtiment immédiat, de l'injure subie. **15.** Le censeur Appius Claudius, pour avoir confié les mystères d'Hercule aux soins d'esclaves publics perdit la vue, et la *gens* des Potitii, qui les avait confiés à d'autres, s'éteignit en l'espace d'une année[3]. **16.** Le censeur Fulvius, pour avoir fait enlever des tuiles de marbre sur le temple de Junon Lacinia, afin de couvrir le temple de la Fortune Équestre qu'il avait fait construire à Rome, fut pris de folie, perdit ses deux fils au cours des campagnes d'Illyrie et mourut dévoré de chagrin. **17.** Turullius, préfet de Marc-Antoine, pour avoir équipé une flotte, près de Cos, en coupant un bois sacré d'Esculape, fut tué au même endroit, plus tard,

11), VALÈRE MAXIME (1,8,2), évoqué par Pline et Arnobe (PLIN. *nat.* 29,8,2; ARN. *nat.* 7,44), et longuement développé par OVIDE (*met.* 622-744); cf. M. BESNIER, *L'île Tibérine dans l'Antiquité,* Paris 1902, p. 135 s.

3. Les Potitii s'étaient vu confier par Évandre lui-même la charge de l'Ara Maxima et des cérémonies en l'honneur d'Hercule, dans des circonstances sur lesquelles les témoignages varient (LIV. 1,7,12 : VERG. *Aen.* 8,260; MACR. *sat.* 1,12,28). Quand ils se déchargèrent de ce culte en le transférant à l'état, ils en furent châtiés immédiatement (LIV. 9,29; VAL. MAX. 1,1,17).

a militibus Caesaris interfectus est. **18.** His exemplis adiungitur Pyrrhus qui, sublata ex thesauro Proserpinae Locrensis pecunia, naufragium fecit ac uicinis deae litoribus illisus est, ut nihil praeter eam pecuniam incolume 75 reperiretur. **19.** Ceres quoque Milesia multum sibi apud homines uenerationis adiecit. Nam cum ab Alexandro capta ciuitas esset ac milites ad eam spoliandam irrupissent, oculos omnium repente obiectus fulgor exstinxit.

20. Reperiuntur etiam somnia quae uim deorum 80 uideantur ostendere. Tiberio namque Atinio homini plebeio per quietem obuersatus esse Iuppiter dicitur et praecepisse ut consulibus et senatui nuntiaret ludis Circensibus proximis praesultorem sibi displicuisse, quod Autronius Maximus quidam uerberatum seruum sub furca medio 85 Circo ad supplicium duxerat, ideoque ludos instaurari oportere; **21.** quod cum ille neglexisset, eodem die filium perdidisse, ipse autem graui morbo esse correptus; et cum rursus eamdem imaginem cerneret quaerentem satisne poenarum pro neglecto imperio pependisset, lectica 90 delatus ad consules et omni re in senatu exposita, recepisse corporis firmitatem suisque pedibus domum redisse. **22.** Illud quoque somnium non minoris admirationis fuit quo Caesar Augustus dicitur esse seruatus. Nam

FONTES : **18** *Cf.* LIV. 29,18 ; VAL. MAX. 1,1, *ext.* 1 **19** *Cf.* NEPOT. 1,1, *ext.* 15 ; PARIS 1, 1, *ext.* 5 **20** *Cf.* VAL. MAX. 1,7,4 **22** *Cf.* VAL. MAX. 1,7,1

71 interfectus est : ~ *B* || interfectus : infectus P^1 || 72 adiungitur : intellegitur B^1 *corr.* B^3 || thesauro : thensauro HM^1 *Br.* tensauro *B* || 73 deae : de B^1 *corr.* B^3 || 74 incolume : incolome V^1 in loculum R || 76 uenerationis : -nes *g* B^1 || 78 fulgor : -gore P^1 furgor *S* + ignis *g V* || 79 etiam : *om.* *V* || quae : cum *S* || uim : *om.* V^1 || 81 obuersatus : aduersatus *g* || 84 qu[idâ : *hic inc. cod. G pag. 25 quae uix legi potest* || uerberatum : uerbatum B^1 || furca : forcam B^1 furcam B^3 || 87 filium : *om.* B^1 || perdidisse : -set *P* perdisse R || ipse : -um *RSg* || esse : esset *P* || correptus : -um *RSg* || 88 eamdem : eadem HM^1 || quaerentem :

par les soldats de César. **18.** On ajoute à ces exemples celui de Pyrrhus qui, ayant pris l'argent du trésor de Proserpine, à Locres, fit naufrage et fut englouti près des rivages voisins de la déesse, si bien qu'on ne retrouva rien d'intact, sauf cet argent. **19.** Cérès de Milet s'attira aussi une grande vénération de la part des habitants de la ville. Comme la cité avait été prise par Alexandre et que les soldats se ruaient au pillage, un éclair brutal les priva tous de la vue.

Songes

20. On trouve également des songes qui paraissent montrer la puissance des dieux. Jupiter, dit-on, était apparu en songe à un plébéien nommé Tibérius Atinius[1], et lui avait ordonné d'annoncer aux consuls et au Sénat que, lors des derniers jeux du Cirque, le maître de danse l'avait offensé; en effet, un certain Autronius Maximus avait fait frapper de verges son esclave et l'avait fait conduire au supplice, la fourche au cou, au milieu du Cirque; pour cette raison, il fallait recommencer les jeux. **21.** Comme Tibérius n'en avait pas tenu compte, il perdit son fils le jour même, et fut de son côté atteint d'une grave maladie. Quand il revit la même apparition qui lui demandait s'il n'avait pas été assez puni pour avoir négligé l'ordre reçu, il se fit porter en litière auprès des consuls : une fois toute l'affaire exposée au Sénat, il retrouva ses forces et rentra chez lui à pied. **22.** Et voici encore un songe qui ne provoqua pas moins d'admiration : c'est celui par lequel, dit-on, César Auguste

querententem *S om. HM* || 90 delatus : *bis scr. B*[1] || 91 recepisse : recepta et *B* || 93 fuit : suae *S* || caesar augustus : gaius caesar *B g.* caesar augustus *R* || statuisset : *om. H*

1. Le nom du héros de l'anecdote n'est pas tout à fait le même chez les divers narrateurs : Tiberius Atinius chez Lactance; T. Latinius chez LIV. 2,36; VAL. MAX. 1,7,4; AVG. *ciu.* 4,26; Annius chez MACR. *sat.* 1,11; il demeure anonyme chez CIC. *diu.* 1,26,55.

cum, bello ciuili Brutiano, implicitus graui morbo absti-
95 nere proelio statuisset, medico eius Artorio Mineruae species obuersata est monens ne propter corporis imbecillitatem castris se Caesar contineret. Itaque in aciem lectica perlatus est et eodem die a Bruto castra capta sunt. **23.** Multa praeterea possunt similia exempla proferri,
100 sed uereor ne si fuero in propositione rerum contrarium diutius immoratus, aut oblitus esse propositi uidear, aut crimen loquacitatis incurram.

CAPVT VIII

1. Exponam igitur istorum omnium rationem, quo facilius res difficiles et obscurae intellegantur, et has omnes simulati numinis praestigias reuelabo quibus inducti homines a ueritatis uia longius recesserunt. **2.** Sed
5 repetam longe altius, ut si quis ad legendum ueri expers et ignarus accesserit, instruatur atque intellegat quod tandem sit «caput horum et causa malorum» et, lumine accepto, suos ac totius generis humani perspiciat errores.

FONTES : **2** VERG. *Aen.* 11,361

97 caesar : *om.* *B*[1] *corr.* *B*[3] || aciem : -e *B P* || 98 perlatus : delatus *B* || et (eodem) : *om.* *P* || eodem : eadem *HM* ea *B*

1 quo : qua *P*[1] || 2 et[1] : ad *S* aut *g* || 3 simulati numinis : simulationum causas in his *B* simulationum in his *P* || numinis : nominis *S V* || 3 praestigias : -iis *B*[3] praestrigias *V Br.* || reuelabo : releuabo R || inducti : indocti *B*

R Sg BG HM PV

6 et : atque R || 7 caput : *om.* *HM* || lumine accepto : ~ *Sg* || 8 perspiciat : prospiciat *HM*

fut sauvé. Lors de la guerre civile contre Brutus, il avait été atteint d'une grave maladie, et avait décidé de ne pas prendre part à la bataille; mais son médecin Artorius eut une apparition de Minerve qui l'avertit que son mauvais état de santé ne devait pas inciter César à rester dans le camp. Aussi fut-il porté sur le front dans une litière, et, ce même jour, son camp fut pris par Brutus.

23. On pourrait donner encore une foule d'exemples analogues, mais, si je m'attarde trop longtemps à présenter ces objections, je crains de paraître avoir oublié mon propos, ou d'encourir l'accusation de bavardage.

CHAPITRE VIII

Pour répondre à ces objections il faut exposer le plan de Dieu

1. J'exposerai donc la raison de tous ces prodiges : il sera ainsi plus facile de comprendre ces affaires difficile et obscures, et je montrerai tous les artifices de cette fausse puissance divine, par lesquels les hommes se sont laissé prendre et se sont écartés bien loin du chemin de la vérité. **2.** Mais je vais remonter beaucoup plus haut, afin que, si quelqu'un se dispose à nous lire sans avoir l'expérience ou la connaissance de la vérité, il soit instruit et comprenne ce qu'est, au fond «le commencement et la cause de nos maux», et pour que, ayant reçu la lumière, il perçoive nettement ses erreurs et celles de tout le genre humain.

3. Cum esset Deus ad excogitandum prouidentissimus,
10 ad faciendum sollertissimus, antequam ordiretur hoc opus mundi, **fecit in principio bonum et malum. Id plane quid sit apertius explicabo, ne quis me ita loqui arbitretur ut poetae solent, qui res incorporales quibusdam figuris quasi uisibilibus comprehendunt.**
15 **Cum praeter ipsum nihil adhuc esset**

quoniam pleni et consummati boni fons in ipso erat, sicut est semper, ut ab eo bonum tamquam riuus oreretur longeque proflueret, produxit similem sui spiritum, qui esset uirtutibus patris Dei praeditus. Quomodo autem id

20 uoluerit	**fecerit, cum solus esset,**
in quarto libro docere conabimur. **4.** Deinde fecit alterum,	**per ipsum quem genuit alterum corruptibilis na-**
25	**turae,**
in quo indoles diuinae stirpis non permansit.	**permaneret.**

Itaque suapte inuidia tamquam ueneno infectus est et ex bono ad malum transcendit suoque arbitrio, quod illi a
30 Deo liberum fuerat datum, contrarium sibi nomen ads-

RSg

12 apertius : aptius *Sg* || 14 uisibilibus : uisilibus R[1]

RSg BG HM PV

17 bonum : *om. B*[1] *(corr. B*[3]*)G* -us *P* || tamquam : quam R[1] || oreretur : oriretur *H* || 18 produxit : genuit *R* || similem : *scr. deinde del. B* || spiritum : + $\overline{\text{XPM}}$ *in marg. B* || 19 id : *om. V* || uoluerit : fecerit cum solus esset *RS HM* f.c.s. est *g* || 21 docere conabimur : conabimur explicare *HM* || 22 deinde : *om. S* || alterum : *in marg. add.* diabolus *B* || 26 indoles : -is *S* || permansit : permaneret *R* || 28 itaque : suaque *B G (ut uidetur)* || 28 suapte : apte *B* sese *G* sua ipse *H* sua ipsa *M* || et : *om. BG* || 29 transcendit : transcedit *V* + in *P* || illi : utrique *M* || 30 adsciuit : insciuit *P*[1]

1. Cette longue dissertation présente du monde une vision très nettement dualiste, qui est loin d'être aussi marquée dans le reste de

Création d'un esprit du bien et d'un esprit du mal

3. Au moment où Dieu était tout appliqué à sa réflexion, tout concentré sur son action, avant de mettre ce monde en chantier[1], **il commença par faire le bien et le mal. Je vais expliquer nettement et plus clairement de quoi il s'agit, pour qu'on n'aille pas croire que je parle comme le font les poètes, qui expriment les réalités non matérielles par des espèces d'images pour ainsi dire visibles. Comme en dehors de lui il n'y avait encore rien** puisque la source du bien total et parfait se trouvait en lui, comme elle y est éternellement, pour que le bien, comme une rivière, sortît de cette source et s'écoulât au loin, il émit un esprit semblable à lui, qui devait être doué de toutes les vertus de Dieu son père. Comment l'a-t-il voulu **fait, alors qu'il était seul** nous essaierons de l'expliquer dans le livre IV. 4. Ensuite il fit un second **par l'intermédiaire de celui qu'il avait engendré, un second de nature corruptible** dans lequel le caractère de l'origine divine ne demeura point. **ne devait point demeurer.** C'est pourquoi il s'est infecté par sa propre méchanceté, comme si c'était un poison, il est passé du bien au mal, et, par sa propre volonté, que Dieu lui avait donnée libre, il

l'œuvre. Elle ne figure que dans certains manuscrits. Après de longues batailles, les critiques sont maintenant unanimes à reconnaître qu'il s'agit d'un ajout à un texte primitif, et rejettent l'hypothèse d'une chute de ce même ensemble dans une famille de manuscrits. La majorité incline à admettre que l'ajout n'est pas une interpolation, mais le résultat d'une *retractatio* opérée par Lactance lui-même : cf. l'Introduction générale aux *Institutions,* et, en attendant, E. HECK, *Die dualistischen Zusätze...*, p. 27 s. et V. LOI, *Problema del male e dualismo negli scritti di Lattanzio, AFLC* 29, 1961-65, p. 37-96.

ciuit. **5.** Vnde apparet cunctorum malorum fontem esse liuorem[a]. Inuidit enim illi antecessori suo, qui Deo patri

perseuerando cum probatus tum etiam carus est.

6. Hunc ergo ex bono per se malum effectum

et probatus et carus est. De quo nunc parcius, quod alio loco et uirtus eius et nomen et ratio enarranda nobis erit. Interim de hoc uberius, ut dispositio diuina noscatur, quia nec bonum intellegi sine malo potest nec malum aeque sine bono et sapientia boni malique notitia sit. Hunc ergo malum spiritum

Graeci διάβολον appellant, nos *criminatorem* uocamus, quod *crimina* in quae ipse illicit ad Deum deferat.

1*. Cur autem istum Deus talem uoluerit esse, quantum sensus nostri mediocritas poterit, explanare conabor. 2*. Fabricaturus hunc mundum, qui constaret ex rebus inter se contrariis atque discordibus, constituit ante diuersa fecitque ante omnia duos fontes rerum sibi aduersarum inter seque pugnantium, illos scilicet duos spiritus, rectum atque prauum, quorum

32 liuorem : leuiorem S^1 || enim : autem R || illi : *om.* *Sg* utrique *H* *RSg*
33-45 et probatus... spiritum : *om.* *Sg*
RSg *HM* *PV*
34 tum : cum *S* || etiam : + *g* *HM* *V* || 46 διάβολον : diabolon *BG* diabylon *HM* diabolum *P* || 47 in (quae) : *om.* *HM* || ipse : -a *M*
RSg
48 istum : iustu S^1 iustus S^2 iustum *g* iustus *Br.* || uoluerit : uoluit *Sg* || 52 fontes : fortes *S* || 53 seque : que S^1 atque S^2 || 54 duos : dum R^1

a. Sag. 2, 24.

s'est acquis le nom d'esprit contraire. 5. Cela montre que la source de tous les maux est la jalousie. En effet, il s'est montré jaloux de son aîné qui, pour Dieu le Père,

à cause de son attachement, est objet de confiance et d'affection.

est objet de confiance et d'affection. J'en parlerai ici un peu vite, parce que j'aurai ailleurs l'occasion d'évoquer sa puissance, son nom et son rôle. Pour l'instant, j'en dirai un peu plus sur l'autre, afin de faire connaître le plan divin, parce qu'on ne peut pas comprendre le bien sans le mal, ni non plus le mal sans le bien, et que la sagesse devrait être la connaissance du bien et du mal. Donc cet esprit mauvais,

6. Donc cet esprit qui, étant bon, s'est lui-même fait mauvais,

les Grecs s'appellent *diable,* et nous l'*accusateur,* car il présente devant Dieu les *accusations* qu'il a lui-même encourues.

1*. Pourquoi Dieu a-t-il voulu qu'il soit ainsi, je vais essayer de l'expliquer, autant que me le permettra la médiocrité de mes moyens. 2*. Quand il s'apprêtait à fabriquer ce monde, qui devait être fait de matériaux antagonistes et opposés, il mit en place auparavant des éléments différents et fit, avant toute chose, deux sources pour ces éléments opposés qui se combattaient les uns les autres : il s'agissait de ces deux esprits, le droit et le dépravé, dont l'un est en quelque

55 alter est Deo tamquam dextera, alter tamquam sinistra, ut in eorum essent potestate contraria illa quorum mixtura et temperatione mundus et quae in eo sunt uniuersa constarent. 3*. Item facturus hominem, cui uirtutem ad uiuendum proponeret, per quam 60 immortalitatem adsequeretur, bonum et malum fecit, ut posset esse uirtus; quae nisi malis agitetur, aut uim suam perdet, aut omnino non erit. 4*. Nam, ut opulentia bonum uideatur acerbitas egestatis facit, et gratiam lucis commendat obscuritas tenebrarum, ua- 65 letudinis et sanitatis uoluptas ex morbo ac dolore cognoscitur : ita bonum sine malo in hac uita esse non potest, et utrumque licet contrarium sit, tamen ita cohaeret ut, alterum si tollas, utrumque sustuleris. 5*. Nam neque bonum comprehendi ac percipi 70 potest sine declinatione ac fuga mali, nec malum caueri ac uinci sine auxilio comprehensi ac percepti boni. Necesse igitur fuerat et malum fieri, ut bonum fieret. 6*. Et quoniam fas non erat ut a Deo proficisceretur malum – neque enim contra se ipse faciet –, 75 illum constituit malorum inuentorem, quem cum faceret, dedit illi ad mala excogitanda ingenium et astutiam, ut in eo esset et uoluntas praua et perfecta nequitia. Ab eo contraria uirtutibus suis uoluit oriri eumque secum contendere utrumne ipse plus 80 bonorum daret an ille plus malorum. 7*. Sed rursus, quoniam Deo summo repugnari non potest, bonorum

59 quam : quem *g* || 61 quae nisi : que si *S* || 63 egestatis : -ate *g* || 64 ualetudinis : ualitudinis *Sg* || 65 ac : atque *g* || 68 sustuleris : subst- *Sg* || 75 constituit : + qui *g* || inuentorem : inuentor est *g*

sorte une main droite pour Dieu, et l'autre, en quelque sorte, une main gauche : ils auraient en leur pouvoir ces éléments contraires dont le mélange et l'équilibre constitueraient le fondement du monde et de tout ce qu'il contient. 3*. Ensuite, au moment de faire l'homme, à qui il allait proposer de régler sa vie sur la vertu pour parvenir à l'immortalité, il le fit à la fois bon et mauvais, afin que la vertu pût exister : car, si elle n'est pas excitée par le mal, ou bien elle perdra sa force, ou bien elle n'existera pas du tout. 4*. Car, ce qui fait que la richesse semble être un bien, c'est l'amertume de la pauvreté; ce qui fait goûter le charme de la lumière, c'est l'obscurité des ténèbres; le plaisir d'être valide et en bonne santé, ce sont la maladie et la douleur qui nous le révèlent : ainsi, en cette vie, il ne peut y avoir de bien sans mal; et, bien que l'un s'oppose à l'autre, ils sont tellement liés que si l'on supprime l'un, on supprime l'un et l'autre. 5*. En effet, on ne peut embrasser ni saisir le bien sans chercher à éviter et à fuir le mal, et l'on ne peut non plus échapper au mal et triompher de lui sans le secours du bien que l'on a saisi et embrassé. Il était donc nécessaire que le mal existât aussi, pour que le bien pût exister. *6*. Et comme il était sacrilège que le mal partît de Dieu – car il ne saurait agir contre lui-même – il a mis en place ce fauteur de maux. En le faisant, il lui a donné un génie particulièrement habile à inventer le mal, pour qu'en lui se trouvent à la fois une volonté perverse et une méchanceté achevée. Il a voulu que naquissent de lui tous les défauts opposés à ses propres vertus, et que celui-là rivalisât avec lui pour savoir s'il pourrait donner lui-même plus de bienfaits que celui-là ne donnerait de maux. 7*. Mais, d'autre part, comme il n'est pas possible de résister victorieusement au Dieu suprême, il confia le pouvoir

suorum potestatem illi ultori adsignauit quem supra bonum ac perfectum esse diximus. Ita duos ad certamen composuit et instruxit, sed eorum alterum dilexit ut bonum filium, alterum abdicauit ut malum. Postea autem multos alios genuit operum suorum ministros, quos Graeci ἀγγέλους † nominant, et illos unius se repugnantis qualem natura equorum...† 8*. Sed corruptibilis non utique statim corrupta est in ortus sui principio, sed post compositum ordinatumque mundum, sicut mox docebimus, a substantiae caelestis uigore peruersa uoluntate desciuit. Ceterum in principio pares uniuersi et aequa condicione apud Deum fuerunt et idcirco angeli omnes, quorum principes erant illi duo. 9*. Cum autem Deus ex his duobus alterum bono praeposuisset, alterum malo, exorsus est itaque fabricam mundi, omnibus his quos creauerat ministrantibus et per certa officia dispositis. Illum uero

7. Exorsus igitur Deus fabricam mundi illum

primum et maximum filium praefecit operi uniuerso [b] eoque simul et consiliatore usus est et artifice in excogitandis, ordinandis perficiendisque rebus, quoniam is et prouidentia et ratione et potestate perfectus est; de quo

82 ultori : alteri *Br. Heck* || 84 alterum : + quem *R* || 88 equorum : ęquorum *S om. g* || 89 sed : + pars illa *R Br.* || corrupta : correpta *S* || 90 principio : -a *S* || 91 sicut : sic *S* || 92 desciuit : desiuit *S* desiit *g* || 93 et : *om. Sg* || 95 his : hiis *Rg* || 97 itaque : *om. Sg* || 98 his : hiis *g* iis *R Br.* || 100 per certa : percepta *Sg* || 101 illum uero : exorsus igitur deus fabricam mundi illum *Sg*

RSg BG HM PV

98 illum : -ud *M* + et *G*

RSg B HM PV

103 est et artifici : *hic des. G* || in : *om. HM* || 104 ordinandis : ornandis *H V* || is : his *Sg HM* || 105 prouidentia : -ae *P*[1]

b. Prov. 8, 22-31; Col. 1, 15-17.

sur ses biens à ce champion que nous avons dit plus haut être bon et parfait[1]. Ainsi les a-t-il tous deux mis en place et armés pour le combat, mais il a aimé l'un des deux comme un bon fils, et il a rejeté l'autre comme un méchant. Puis, plus tard, il a engendré beaucoup d'autres serviteurs de son action que les Grecs appellent des *anges*[2]... 8*. Mais ce groupe corruptible n'a certainement pas été corrompu dès l'instant de sa naissance, mais, après la mise en place et l'organisation du monde, comme nous l'expliquerons bientôt[3], il s'est privé, par une volonté perverse, de la vigueur de la substance céleste. D'ailleurs, au début, tous étaient égaux et avaient le même rang aux yeux de Dieu, et c'est pourquoi ils étaient tous des anges, dont ces deux-là étaient les chefs. 9*. Mais quand Dieu eut préposé l'un des deux au bien et l'autre au mal,

7. Ayant donc entrepris de fabriquer le monde,

il entreprit alors de fabriquer le monde, avec l'aide de tous ceux qu'il avait créés et à qui il avait confié des fonctions déterminées. quant à

ce fils aîné et puissant, il le préposa à l'ensemble de l'ouvrage et il l'utilisa à la fois comme conseiller et comme artisan pour concevoir, organiser et achever toutes choses, puisque sa prévoyance, sa raison et sa puissance sont

1. Lactance n'en a pas encore parlé. Ce sera l'objet d'un développement au livre IV (4,6 s.).

2. Lactance distingue parfois mal le Christ des anges (cf. *inst.* 4,8,6) : messagers de Dieu, ceux-ci sont les intermédiaires de son action dans le monde, comme le Verbe est son intermédiaire dans la création. Le texte est ici trop corrompu pour être rétabli mais le parallèle avec la phrase précédente conduit à penser qu'il s'agissait d'une évocation de la seconde catégorie d'esprits créés par Dieu et soumis à l'esprit du mal.

3. La formule de renvoi est plus exacte ici qu'au § 7* (cf. *supra* n. 1).

nunc parcius, quod alio loco et uirtus eius et nomen et ratio enarranda nobis erit.

8. Nemo quaerat ex quibus ista materiis tam magna, tam mirifica opera Deus fecerit : omnia fecit ex nihilo.
110 Nec audiendi sunt poetae, qui aiunt chaos in principio fuisse, id est confusionem rerum atque elementorum, postea uero Deum diremisse omnem illam congeriem, singulisque rebus ex confuso aceruo separatis in ordinemque discriptis, instruxisse mundum pariter et ornasse.
115 **9.** Quibus facile est respondere potestatem Dei non intellegentibus, quem credant nihil efficere posse nisi ex materia subiacente ac parata.

In quo errore etiam philosophi fuerunt. **10.** Nam Cicero de natura deorum disputans ait sic : « Primum igitur
120 non est probabile eam materiam rerum unde omnia orta sunt esse diuina prouidentia effectam, sed et habere et habuisse uim et naturam suam. **11.** Vt igitur faber, cum quid aedificaturus est, non ipse facit materiam, sed utitur ea quae sit parata, fictorque item cera, sic isti prouidentiae
125 diuinae materiam praesto esse oportuit, non quam ipse faceret, sed quam haberet paratam. Quodsi materia non est

Fontes : **8** *Cf.* Ov. *met.* 1,7; 21; 32 **10-11** Cic. *nat. deor. frg.*

106 nunc : *om.* B^1 *add.* B^3 || parcius : -cis R^1 partius *P* || 108 quibus : + sit *Sg HM* || materiis : -ies *Sg HM* + aut unde *Sg HM* || 112 uero : *om.* *B* | diremisse : diremisisse P^1 || 114 discriptis : descriptis *S* des*ptis *M* digestis *B* || ornasse : ordinasse S^1 || 121 effectam : -tum *HM* || et¹ : *om.* *B* | et² : *om.* R^1 || 122 et : ac *g HM* || 123 quid : quibus *P* || facit : fecit *V* || 124 item : idem *HM* || 125 diuinae : diuae P^1 || materiam : -a *Sg* || quam : qua *B* || ipse : ipsa *Br. cf.* p. 218 || 126 est : *om.* *H*

parfaites; j'en parle maintenant de façon assez brève, car j'aurai à évoquer ailleurs sa puissance, son nom et sa raison.

Création *ex nihilo*

8. Que personne ne vienne nous demander avec quels matériaux Dieu a fait toutes ces œuvres si grandes et si admirables : il a tout fait à partir de rien.

Il ne faut pas écouter les poètes, qui racontent qu'au commencement il y avait le chaos, c'est-à-dire la confusion des objets et des éléments, et que, plus tard, Dieu avait trié toute cette masse, extrait de cet amas confus toutes les choses une à une, les avait mises à leur place et avait simultanément organisé et orné le monde. **9.** Il est facile de répondre à ces gens qui ne comprennent pas la toute-puissance de Dieu au point de le croire incapable de créer quelque chose, si ce n'est à partir d'une matière déjà existante et toute prête.

Discussion de la thèse de Cicéron

Les philosophes aussi ont commis cette erreur. **10.** De fait, Cicéron quand il traite de la nature des dieux, dit ceci : « D'abord, on ne peut pas prouver que la matière d'où sont nées toutes choses a été fabriquée par la providence divine, mais on peut prouver qu'elle possède et qu'elle possédait déjà son énergie et sa nature. **11.** Donc, de même qu'un artisan qui va bâtir quelque chose ne fabrique pas lui-même le matériau, mais utilise ce qui est tout prêt, et le modeleur en fait autant avec la cire, de la même façon, il a fallu que cette providence divine eût à sa disposition une matière qu'elle n'avait pas faite, mais qu'elle possédait déjà toute prête. Et

a Deo facta, ne terra quidem et aqua et aer et ignis a Deo factus est. »

12. O quam multa sunt uitia in his decem uersibus!
130 Primum quod is qui in aliis disputationibus et libris fere omnibus prouidentiae fuerit adsertor, et qui acerrimis argumentis impugnauerit eos qui prouidentiam non esse dixerunt, idem nunc quasi proditor aliquis aut transfuga prouidentiam conatus est tollere. **13.** In quo si contra
135 dicere uelis, nec cogitatione opus est nec labore : sua illi dicta recitanda sunt : nec enim poterit ab ullo Cicero quam a Cicerone uehementius refutari.

14. Sed concedamus hoc mori et instituto Academicorum, ut liceat hominibus ualde liberis dicere ac sentire
140 quae uelint : sententias ipsas consideremus. « Non est, inquit, probabile materiam rerum a Deo factam. » Quibus hoc argumentis doces? **15.** Nihil enim dixisti quare hoc non sit probabile. **16.** Itaque mihi e contrario uel maxime probabile uidetur, nec tamen temere uidetur,
145 cogitanti plus esse aliquid in Deo, quem profecto ad imbecillitatem hominis redigis, cui nihil aliud quam opificium concedis. **17.** Quo igitur ab homine diuina illa uis differet, si, ut homo, sic etiam Deus ope indiget aliena? Indiget autem, si nihil moliri potest, nisi ab altero illi

FONTES : **14** *Cf. supra* § 11

127 ne : nec *B H* || 129 o : *om.* *B*[1] *add.* *B*[3] || 130 iis *R M* hiis *g* || fere omnibus : prae omnibus quin *HM* || 131 fuerit : -int *M*[ac] || 133 transfuga trasfuga *S* transfigura *H* || 136 dicta : dictata *RS* cf. p. 218 || 140 ipsas ipsius *V* || 141 rerum : *om.* *P* || 142 nihil : non *B* || 143 itaque.. probabile : *om.* *P* || mihi : nichil *S* || 146 opificium : -ficum *H*[1] || 14 igitur... differet : differet (differt *HM*) ab homine illa diuina uis *Sg HM* 148 differet : differre *P*[1] differt *B P* || si : *om.* *B* || si ut : sicut *V*

1. La critique s'accorde à considérer qu'il s'agit d'un fragment du livre III, provenant du passage perdu après 3,25,65. M. van den Bruwaene (t. 2, p. 118) pense que c'est un passage où l'on peut retrouver l'influence d'Antiochus d'Ascalon. Sur la longue discussion

si la matière n'a pas été faite par Dieu, ni la terre, ni l'eau, ni l'air ni le feu n'ont été faits par Dieu[1].»

12. Que de sottises dans ces dix lignes! D'abord, celui qui, dans ses autres traités et dans presque tous ses livres, s'est fait le champion de la Providence, et qui a combattu avec les arguments les plus pénétrants ceux qui ont prétendu qu'il n'y a pas de Providence, le voilà maintenant qui, semblable à un traître ou à un transfuge, s'est efforcé de combattre la Providence. **13.** Si on veut le contredire, il n'est pas besoin de réfléchir ni de se donner du mal, il suffit de lui redire ses propres paroles. En effet, Cicéron ne saurait être réfuté avec plus de vigueur que par Cicéron lui-même.

14. Mais faisons une concession aux méthodes habituelles des Académiciens[2], en admettant que des hommes tout-à-fait libres puissent dire et penser ce qu'ils veulent, et examinons simplement ses affirmations. «On ne peut prouver, dit-il, que la matière a été faite par Dieu.» **15.** Sur quels arguments appuies-tu cette affirmation? Tu n'as rien dit qui montre qu'on ne puisse le prouver. **16.** Pour moi, au contraire, cela me paraît très facile à démontrer, et ne me paraît pas une affirmation téméraire, quand je pense qu'il y a quelque chose de plus en Dieu, que tu ramènes précisément au niveau de la faiblesse humaine, en ne lui prêtant qu'un rôle d'artisan. **17.** En quoi la puissance divine se distingue-t-elle de celle d'un homme, si, tout comme un homme, Dieu a encore besoin d'une aide extérieure? Or, il en a besoin, s'il ne peut rien fabriquer sans que la matière

que Lactance consacre à ce texte, cf. V. LOI *Lattanzio...*, p. 128 s. On ne peut guère évoquer de sources directes et précises, l'ensemble doit être inspiré par les discussions cosmologiques au sein des écoles philosophiques de l'époque.

2. Les propos que Lactance a entrepris de réfuter comme s'ils étaient de Cicéron lui-même sont sans doute empruntés à l'exposé de l'académicien Cotta.

150 materia ministretur. Quod si fit, imperfectae utique uirtutis est, et erit iam potentior iudicandus materiae institutor. **18.** Quo ergo nomine appellabitur qui potentia Deum uincit, siquidem maius est propria facere quam aliena disponere? **19.** Si autem fieri non potest ut sit potentius 155 Deo quicquam, quem necesse est perfectae esse uirtutis, potestatis, rationis, idem igitur materiae fictor est qui et rerum ex materia constantium. Neque enim Deo non faciente et inuito esse aliquid aut potuit aut debuit.

20. « Sed probabile est, inquit, materiam rerum habere 160 et habuisse uim et naturam suam. » Quam uim potuit habere nullo dante, quam naturam nullo generante? Si habuit uim, ab aliquo eam sumpsit. A quo autem sumere nisi a Deo potuit? **21.** Si habuit *naturam,* quae utique a *nascendo* dicitur, *nata* est. A quo autem nisi a Deo potuit 165 procreari? Natura enim, qua dicitis orta esse omnia, si consilium non habet, efficere nihil potest : si autem generandi et faciendi potens est, habet ergo consilium et propterea Deus sit necesse est, **22.** nec alio nomine appellari potest ea uis in qua inest et prouidentia excogi-170 tandi et sollertia potestasque faciendi. **23.** Melius igitur Seneca, omnium Stoicorum acutissimus, qui uidit nihil aliud esse naturam quam Deum. « Ergo, inquit, Deum non laudabimus, cui naturalis est uirtus? Nec enim illam didicit

FONTES : **20** *Cf. supra* § 11 **23** SEN. *frg.* 122

150 fit : sit *S* || 154 disponere : + fieri non potest propria facere quam aliena disponere *P*[1] || 155 quem : quam *S* || perfectae : -us *M* || 156 fictor est : fictorem *S* factor *HM* || 160 habuisse : + semper *B* || 163 si : porro si *B* || 169 uis : *om.* R || et : post *B*[1] || inest : est *M*[1] || excogitandi cogitandi *HM* || 170 potestasque : potestatisque *B* || 173 enim : *om.* *B*

lui ait été fournie par quelqu'un d'autre. S'il en est ainsi, sa puissance est assurément imparfaite, et l'on devra du même coup considérer comme plus puissant celui qui a fabriqué la matière. **18.** Quel nom donnera-t-on alors à celui dont la puissance l'emporte sur celle de Dieu, s'il est bien vrai qu'il faut plus de force pour créer sa propre matière que pour organiser celle d'autrui? **19.** S'il n'est pas possible qu'il existe un être plus puissant que Dieu, qui détient nécessairement la perfection de la vertu, de la puissance et de la raison, c'est que celui qui est le fabricant de tout ce qui est fait à partir de la matière est également le créateur de la matière. Car rien n'aurait pu, ni n'aurait dû exister, sans que Dieu le fît ou le laissât faire.

La matière ne peut provenir que de Dieu

20. «Mais il est probable, dit-il, que la matière possède et possédait son énergie et sa nature.» Quelle énergie aurait-elle pu avoir, si personne ne lui en avait donné? quelle nature, si personne ne la faisait naître? Si elle avait une énergie, elle la tenait de quelqu'un. De qui pouvait-elle la tenir, sinon de Dieu? **21.** Si elle avait une nature, c'est-à-dire, littéralement, ce qui vient de la *naissance,* c'est qu'elle est *née*. Par qui, sinon par Dieu, a-t-elle pu être procréée? Car la nature, de qui, selon vous, toutes choses sont nées, ne peut rien fabriquer si elle ne possède pas d'intelligence : mais si elle est capable d'engendrer et de faire, c'est qu'elle possède une intelligence, et, dans ces conditions, elle est nécessairement Dieu; **22.** et on ne peut donner un autre nom à une force en qui se trouvent à la fois une providence capable de concevoir et une habileté toute-puissante pour réaliser. **23.** Sénèque, le plus pénétrant des Stoïciens, a donc mieux vu les choses, en se rendant compte que «la nature» n'était rien d'autre que Dieu. «Eh quoi, dit-il, nous ne louerons pas Dieu, en qui la toute-puissance est naturelle, car il ne l'a

ex ullo. Immo laudabimus. Quamuis enim naturalis illi sit,
175 sibi illam dedit, quoniam Deus ipse natura est.» **24.** Cum igitur ortum rerum tribuis naturae ac detrahis Deo, «in eodem luto haesitans uersura soluis, Geta». A quo enim fieri negas, ab eodem plane fieri mutato nomine confiteris.

25. Sequitur ineptissima comparatio. «Vt faber, inquit,
180 cum quid aedificaturus est, non ipse facit materiam, sed utitur ea quae sit parata, fictorque item cera, sic isti prouidentiae diuinae materiam praesto esse oportuit, non quam ipse faceret, sed quam haberet paratam.» **26.** Immo uero non oportuit : erit enim Deus minoris
185 potestatis, si ex parato facit; quod est hominis. Faber sine ligno nihil aedificabit, quia lignum ipsum facere non potest; non posse autem imbecillitatis humanae est. **27.** Deus uero facit sibi ipse materiam, quia potest : posse enim Dei est; nam, si non potest, Deus non
190 est. **28.** Homo facit ex eo quod est, quia per mortalitatem imbecillus est, per imbecillitatem definitae ac modicae potestatis; Deus autem facit ex eo quod non est, quia per aeternitatem fortis est, per fortitudinem potestatis immensae, quae fine ac modo careat sicut uita factoris.
195 **29.** Quid ergo mirum si, facturus mundum, Deus prius materiam de qua faceret praeparauit, et praeparauit ex eo quod non erat? Quia nefas est Deum aliunde aliquid

FONTES : **24** TER. *Phorm.* 781 **25** *Cf. supra* § 11

174 naturalis illi : ~ *Sg* || 177 haesitans : hesitas ac *HM* || uersura : -am *RSg B H P* || geta : greta *V om. HM* || 178 negas : + mundum *Sg HM* || 181 ea : eam *B* || item : idem *HM* || 182 materiam : -a *HM* || 183 non quam : numquam *HM* || ipse : -a *Br.* ipsâ *B*[1] *corr. B*[3] cf. p. 218 || 185 facit : -iat *Sg* || 186 aedificabit : -auit R || 188 sibi : *om. Sg* || 189 enim : autem *B* || dei : dii *R*[1] || 190 per : *om.* R || mortalitatem : -ate R || 191 imbecillus : -is *g P* || 194 modo : modico *B* || careat : caret *HM* || 196 faceret : facere *P* || et praeparauit : *om. Sg H* || ex : *om. P*[1]

1. Sur ce fragment, cf. M. LAUSBERG, *Untersuchungen...*, p. 176

reçue de personne? Mais si, nous le louerons. Car, bien qu'elle soit naturelle, c'est lui qui se l'est donnée, car Dieu, c'est la nature[1].» **24.** Dès lors donc que tu attribues la naissance des choses à la nature, et que tu la retires à Dieu, «tu restes empêtré dans le même bourbier, tu empruntes pour rembourser, Géta[2]», car celui à qui tu refuses d'attribuer cette action, tu acceptes de la lui attribuer sous un autre nom.

25. Vient ensuite une comparaison fort mal adaptée : «De même que, dit-il, un artisan qui va bâtir quelque chose ne fabrique pas lui-même le matériau, mais utilise ce qui est tout prêt, et que le sculpteur en fait autant avec la cire, de la même façon il a fallu que cette providence divine eût à sa disposition une matière qu'elle n'avait pas faite, mais qu'elle possédait déjà toute prête.» **26.** Eh bien non! Il ne l'a pas fallu! Dieu sera d'une puissance moindre, s'il fabrique à partir de ce qui est tout prêt. C'est là le fait de l'homme : un ouvrier, sans bois, ne bâtira rien, car il ne peut faire lui-même le bois; ne pas pouvoir est le propre de la faiblesse humaine. **27.** Dieu, au contraire, fait lui-même sa matière, parce qu'il peut; pouvoir est, en effet, le propre de Dieu; car, s'il ne peut pas, il n'est pas Dieu. **28.** L'homme fait à partir de ce qui est, car son caractère mortel le rend faible, et sa faiblesse ne lui laisse qu'une puissance déterminée et limitée; Dieu, au contraire, fabrique à partir de ce qui n'est pas, car son éternité le rend fort, et sa force lui donne une puissance sans limite, qui n'a ni terme ni mesure, comme l'existence de celui qui la met en œuvre. **29.** Qu'y a-t-il donc d'étonnant à ce que, avant de faire le monde, Dieu ait d'abord préparé la matière avec laquelle il allait le faire, et qu'il l'ait préparée à partir de ce qui n'existait pas? Car il serait sacrilège de croire que Dieu

2. Ce vers de Lucrèce, cité encore en *inst.* 7,2,3, apparaît à maintes reprises chez Jérôme (A. OTTO, *Sprichwörter...*, p. 202).

mutuari, cum ex ipso uel in ipso sint omnia[c]. **30.** Nam, si est aliquid ante illum, si factum est quicquam non ab
200 ipso, iam potestatem Dei et nomen amittet.

– At enim materia numquam facta est, sicut Deus, qui ex materia fecit hunc mundum. **31.** – Duo igitur constituuntur aeterna et quidem inter se contraria, quod fieri sine discordia et pernicie non potest; collidant enim necesse est
205 ea quorum uis ac ratio diuersa est. Sic utraque aeterna esse non poterunt, si repugnant, quia superare alterum necesse est. **32.** Ergo fieri non potest quin aeterni natura sit simplex, ut inde omnia uelut ex fonte descenderint. Itaque, aut Deus ex materia ortus est, aut materia ex Deo. Quid
210 horum sit uerius facile est intellegi. **33.** Ex his enim duobus alterum sensibile est, alterum caret sensu. Potestas faciendi aliquid non potest esse nisi in eo quod sentit, quod sapit, quod cogitat, quod mouetur. **34.** Nec incipi aut fieri aut consummari quicquam potest, nisi fuerit ratione
215 prouisum et quemadmodum fiat antequam est et quemadmodum constet postquam fuerit effectum. **35.** Denique is facit aliquid qui habet uoluntatem ad faciendum et manus ad id quod uoluit implendum. Quod autem insensibile est, iners et torpidum semper iacet; nihil inde oriri
220 potest ubi nullus est motus uoluntarius. **36.** Nam si

198 mutuari : mutari *H*[1]*M V*[1] || ex ipso : in ip *P*[1] i.ipso *P*[2] || 199 si : *om.* *V* || 200 iam : + et *HM om.* *V* || amittet : -it *HM* || 202 fecit : tegit *P* || constituuntur [aeterna : *hic denuo inc.* *G*

RSg BG HM PV

203 et quidem : equidem *B*[1]*G corr.* *B*[3] || 206 superare : exs- *HM* || 207 aeterni : -a *P* || 209 quid : quod *V*[1] || 210 est : sit *g* || facile : -ius *B* || his : *om.* *P*[1] || 211 sensu : -um *P* + et *B* || 215 et... est : *om.* *B*[1]*G corr.* *B*[3] || 216 constet : +et *P* || post quam : quam *P*[1] || 217 is facit] : *hic deficit antiqua pars codicis* *S* ||

c. Rom. 11, 36.

1. Analyse des § 30-38 par V. Loi, *Lattanzio...*, p. 38. L'auteur

reçoive quelque chose venu d'ailleurs, puisque c'est à partir de lui, ou plutôt en lui, que toutes choses existent. **30.** Car, s'il existe quelque chose avant lui, si quelque chose a été fait sans lui, il perd du même coup sa puissance et son nom divin.

Dieu ne peut venir de la matière

– Mais, dira-t-on, la matière n'a jamais été faite, tout comme Dieu qui, à partir de la matière, a créé le monde[1]. **31.** – Il existe, dans ce cas, deux éléments éternels et opposés l'un à l'autre, ce qui n'est pas possible sans dispute et sans haine; car il y a nécessairement affrontement entre des éléments dont la puissance et les intérêts sont opposés. Dans ces conditions, ils ne pourront pas être éternels l'un et l'autre, car, s'ils se combattent, l'un des deux devra nécessairement l'emporter. **32.** Il est donc nécessaire que la nature de ce qui est éternel soit simple, de sorte que tout découle de là comme d'une source. Dès lors, ou bien Dieu est né de la matière, ou bien la matière est née de Dieu. Laquelle de ces affirmations est exacte, il est aisé de le comprendre. **33.** L'un des deux, en effet, est doué de sensibilité, l'autre n'a pas de sens. Le pouvoir de faire quelque chose ne peut se trouver que dans ce qui sent, dans ce qui a du discernement, pense et se meut. **34.** Aucune chose ne peut être commencée, se faire, ou arriver à son achèvement, s'il n'y a pas eu de raison pour prévoir, avant qu'elle fût, ce qu'elle serait, et veiller à sa conservation une fois qu'elle a été faite. **35.** Enfin, celui-là peut faire quelque chose, qui a une volonté pour faire et des mains pour parachever ce qu'il a voulu faire. En revanche, ce qui est insensible demeure toujours inactif et inerte; rien ne peut naître de là où il n'y a aucun mouvement volontaire.

montre, contre G. Verbeke, que la notion d'incorporéité divine est, chez Lactance, plus influencée par le platonisme que par le stoïcisme.

omne animal ratione constat, certe nasci non potest ex eo quod ratione praeditum non est, nec aliunde accipi potest id quod ibi unde petitur non est. **37.** Nec tamen commoueat aliquem quod animalia quaedam de terra nasci
225 uidentur. Haec enim non terra per se gignit, sed spiritus Dei, sine quo nihil gignitur. **38.** Non ergo Deus ex materia, quia sensu praeditum ex insensibili, sapiens ex bruto, impatibile de patibili, expers corporis de corporali numquam potest oriri, sed materia potius ex Deo est.
230 **39.** Quidquid est enim solido et contrectabili corpore accipit externam uim; quod accipit uim dissolubile est; quod dissoluitur interibit; quod interit ortum sit necesse est; quod ortum est habuit fontem unde oreretur, id est factorem aliquem sentientem, prouidum peritumque
235 faciendi. Is est profecto nec ullus alius quam Deus. **40.** Qui quoniam sensu, ratione, prouidentia, potestate, uirtute praeditus est, et animantia et inanima creare et efficere potest, quia tenet quomodo sit quidque faciendum. **41.** Materia uero semper fuisse non potest, quia muta-
240 tionem non caperet, si fuisset. Quod enim semper fuit, semper esse non desinit; et unde afuit principium, abesse hinc etiam finem necesse est. Quin etiam facilius est ut id quod habuit initium fine careat, quam ut habeat finem quod initio caruit. **42.** Materia igitur si facta non est, nec

Rg BG HM PV
221 ratione : + non *B G(ut uidetur)* || 223 id : *om. B* || 225 uidentur : -eantur *HM* || terra : + ea *HM* || se : + non *V*[1] || 227 praeditum : -tus *g P* || insensibili : sensibili *B* || sapiens : sapit non *B* || 228 patibili : patibile *V* || 230 est enim : ~ *V* || contrectabili : -e R[1] -tractabili *P* inc- *g* || 231 accipit uim dis- : *om. P* || dissolubile : dissoluibile R *V* || 232 dissoluitur : dissolui *V* || interit ortum : interiturum *P* || 233 quod ortum est : *om. P* || habuit : + utique R || oreretur : oriretur *V* || 235 faciendi is : faciendis *B V* || profecto : -tio *P*[1] || 236 prouidentia : -am *V* prudentia *B* || 237 et : at enim R || et animantia : *om. P* || inanima : inanimantia *HM* || 241 semper esse : *om. B* || abesse : esse *B* || 242 hinc : *om. g HM* || 243 ut : *om. B* || finem : + id *g HM* || 244 igitur : ergo *g V* || nec : ne *V*[1]

36. Car, du moment que tout être vivant est doué d'intelligence, aucun ne peut naître de ce qui ne possède pas d'intelligence ; et on ne peut recevoir d'une autre source ce qui ne se trouve pas dans celle d'où l'on tire son origine. **37.** Que personne ne se laisse influencer par le fait que certains animaux paraissent naître de la terre. En fait, ce n'est pas la terre qui les engendre par elle-même, mais le souffle de Dieu, sans lequel rien n'est engendré. **38.** Donc, ce n'est pas Dieu qui vient de la matière, puisque jamais le sensible ne peut naître de l'insensible, ni le sage de l'insensé, ni l'impassible du passible, ni l'incorporel du corporel : c'est plutôt la matière qui vient de Dieu.

La matière, qui a eu un commencement, ne peut être Dieu

39. En effet, tout ce qui est constitué d'un corps solide et palpable est soumis aux forces extérieures[1] ; ce qui est soumis à des forces est susceptible de se défaire ; ce qui peut se défaire périra ; ce qui périt est nécessairement né ; ce qui est né a une source d'où il est né, c'est-à-dire quelqu'un qui l'a fait, et qui est doué de sensations, de clairvoyance et de savoir-faire. Cet être existe, assurément, et il n'est autre que Dieu. **40.** Celui-ci, étant donné qu'il est doué de sens, d'intelligence, de clairvoyance et de puissance, peut créer et fabriquer aussi bien des êtres animés que des êtres inanimés, car il détient le moyen de faire l'un et l'autre. **41.** La matière, au contraire, ne peut avoir toujours existé, car, dans ce cas, elle n'admettrait pas de modification. En effet, ce qui a toujours existé ne cesse jamais d'exister, et ce qui n'a pas eu de commencement ne peut absolument pas connaître de fin. Et même, il est plus facile pour ce qui a eu un commencement de n'avoir pas de fin, que pour ce qui n'a pas eu de commencement d'avoir une fin. **42.** Donc, si

1. Démonstration inspirée de CIC. *nat. deor.* 3,12,29.

245 fieri ex ea quicquam potest; si fieri ex ea non potest, ne materia quidem erit; materia est enim ex qua fit aliquid. Omne autem ex quo fit, quia recipit opificis manum, destruitur et aliud esse incipit. **43.** Ergo, quoniam finem habuit materia tum cum factus est ex ea mundus, et initium
250 quoque habuit. Nam quod destruitur aedificatum est, quod soluitur alligatum, quod finitur inceptum. Si ergo ex commutatione ac fine materia colligitur habuisse principium, a quo alio fieri nisi a Deo potuit? **44.** Solus igitur Deus est qui factus non est, et idcirco destruere alia potest,
255 ipse destrui non potest. Permanebit semper in eo quod fuit, quia non est aliunde generatus, nec ortus ac natiuitas eius ex aliqua re altera pendet, quae illum mutata dissoluat. Ex se ipso est, ut in primo diximus libro, et ideo talis est qualem esse se uoluit, impassibilis, immutabilis, incor-
260 ruptus, beatus, aeternus.

45. Iam uero illa conclusio qua sententiam terminauit multo absurdior : « Quodsi materia, inquit, non est a Deo facta, ne terra quidem et aqua et aer et ignis a Deo factus est. » **46.** Quam callide periculum praeteruolauit! Sic
265 enim superius illud adsumpsit tamquam probatione non indigeret, cum id multo esset incertius quam illud propter quod adsumptum est. « Si non est, inquit, a Deo facta materia, nec mundus a Deo factus est. » **47.** Ex falso

FONTES : **45** *Cf. supra* § 11

247 recipit : recepit R *H* || 249 est : *om.* *P*[1] || 250 destruitur : distruitur R || 251 soluitur : sollitur *B*[1] *corr.* *B*[3] || ex : in R || ex commuta]tione : *hic des.* *G*

Rg B HM PV

252 materia : -ae R *PV* || colligitur : collegitur *V* || 254 destruere : distruere R || 255 permanebit : remanebit *g HM* || 256 ac : nec *g HM* || 257 re : + ab *HM* || mutata : mutet ac *B* || 259 esse se : ~ *B* || se : *om.* *PV*[1] || 260 aeternus : *om.* *P* || 261 qua : quae R *P* || 252 absurdior : surdior *H*[1] || deo : dño *P* || 263 et ignis... factus est : *om.* *P* || 265 probatione : -em *B* || non : *om.* *P*

la matière n'a pas été faite, rien non plus ne peut être fait à partir d'elle; si, à partir d'elle, rien ne peut être fait, il n'y aura plus alors de matière : car la matière est ce avec quoi on fait quelque chose. Or, tout ce qui sert à faire quelque chose, étant soumis à l'action d'une main d'artisan, se détruit et se transforme. **43.** Donc, puisque la matière a eu une fin au moment où elle a servi à faire le monde, c'est qu'elle a eu aussi un commencement. Car ce qui se détruit a été construit, ce qui se délie a été lié, ce qui a une fin a eu aussi un commencement. Si donc il est établi que, du fait de sa modification et de sa disparition, la matière a eu un commencement, par qui donc a-t-elle pu être faite, sinon par Dieu? **44.** Seul est donc Dieu celui qui n'a pas été fait, et qui, pour cette raison, peut détruire les autres, mais ne peut pas, lui, être détruit. Il demeurera donc toujours en l'état où il a été, parce qu'il n'a pas été engendré de l'extérieur, que son origine et sa naissance ne dépendent d'aucune autre chose qui puisse le modifier et le détruire. Il est issu de lui-même, comme nous l'avons dit dans le premier livre[1], et, pour cette raison, il est tel qu'il a voulu être, impassible, immuable, incorruptible, bienheureux et éternel.

45. Quant à la conclusion par laquelle (Cicéron) a terminé, elle est encore plus absurde : « Si la matière, dit-il, n'a pas été faite par Dieu, c'est que ni la terre, ni l'eau, ni l'air, ni le feu n'ont été faits par Dieu. » **46.** Quelle habileté à survoler la difficulté! En effet, il a posé son affirmation précédente comme si elle n'avait pas besoin de preuves, alors qu'elle est beaucoup moins bien établie que celle avant laquelle elle a été posée. « Si la matière, dit-il, n'a pas été faite par Dieu, le monde non plus n'a pas été fait par

1. *Inst.* 1,7,13.

maluit colligere quod est falsum quam ex uero quod
270 uerum, et cum debeant incerta de certis probari, hic
probationem sumpsit ex incerto ad euertendum quod erat
certum. **48.** Nam diuina prouidentia effectum esse mundum, ut taceam de Trismegisto qui hoc praedicat, taceam
de carminibus Sibyllarum quae idem nuntiant, taceam de
275 prophetis qui opus mundi et opificium Dei uno spiritu
et pari uoce testantur, etiam inter philosophos paene
uniuersos conuenit; id enim Pythagorei, Stoici, Peripatetici, quae sunt principales omnium disciplinae. **49.** Denique a primis illis septem sapientibus ad Socraten usque ac
280 Platonem pro confesso et indubitato habitum est, donec
unus multis post saeculis extitit delirus Epicurus, qui
auderet negare id quod est euidentissimum, studio scilicet
inueniendi noua, ut nomine suo constitueret disciplinam.
50. Et quia nihil noui potuit reperire, ut tamen dissentire a
285 ceteris uideretur, uetera uoluit euertere : in quo illum
circumlatrantes philosophi omnes coarguerunt. Certius est
igitur mundum prouidentia instructum quam materiam
prouidentia conglobatam. **51.** Quare non oportuit pu-

FONTES : **48** *Cf. Corp. Herm.* t. 3, p. 61 ; t. 4, p. 108 ; *Orac. Sib. frg.* I.II (Geffcken)

269 quod (uerum) : + est *g* || 271 euertendum : uertendum *B*[1] *corr.* *B*[3] || erat : est *B* || 272 effectum esse mundum : factus est mundus *g* esse tum esse mundum *M* || 273 ut taceam : *om.* *P* || 274 sibyllarum : syllabarum *V* || 275 opificium : artificium *P* || 276 et : ac *B* || inter : similiter *g* || 277 id enim : *om.* *P* || pythagorei : -re *B*[1] *corr.* *B*[3] pythagorici *HM* || 278 quae : et quae *R* qui *P* || principales : principes *P*[1] || 279 ad : a *HM V* || 280 ac : et ad *B* ad *HM PV* || confesso : -si *P*[1] || et : nec *B* || 281 saeculis : -i *P* || extitit : existitit *V* || delirus : -rans *B* || 282 auderet : audiret *B*[1] *P*[1] *V*[1] *corr.* *B*[3] || 283 ut : et *H*[1] || constitueret : construeret *V* || 286 certius : -um *HM* || 287 igitur : + tam *g* || materiam : -a *B* || 288 prouidentia : -a *B*[1] -am *B*[3]

Dieu[1].» **47.** Il a mieux aimé tirer du faux ce qui est faux que du vrai ce qui est vrai, et, quoique les choses mal établies doivent être prouvées à partir de celles qui sont bien établies, il a tiré une preuve de ce qui est mal établi pour renverser ce qui est bien établi. **48.** En effet, que ce soit la divine providence qui a fait le monde, pour ne rien dire de Trismégiste qui le proclame, rien des *Oracles Sibyllins* qui contiennent le même message, rien des prophètes qui attestent d'un seul esprit et d'une seule voix la création du monde et l'action créatrice de Dieu, la presque totalité des philosophes s'accordent également là-dessus : c'est-à-dire les Pythagoriciens, les Stoïciens et les Péripatéticiens, qui constituent les principales écoles. **49.** Ensuite, depuis les sept sages jusqu'à Socrate et Platon, l'affirmation fut tenue pour établie et indubitable, jusqu'au moment où, après bien des siècles, se dressa, tout seul, ce fou d'Épicure[2], qui osa nier ce qui était parfaitement évident, parce qu'il désirait, bien entendu, trouver du sensationnel pour mettre en place une école qui portât son nom[3]. **50.** Et, parce qu'il n'avait rien trouvé de neuf, pour apparaître cependant en désaccord avec les autres, il voulut renverser les croyances anciennes. Mais, sur ce point, tous les philosophes l'ont assiégé de leurs clameurs pour s'opposer à lui. Ce qui est le mieux établi, c'est que le monde a été fabriqué par une Providence, et non pas que la matière a été rassemblée par une Providence. **51.** Voilà pourquoi il

1. Adaptation du passage cité en 8,11 et repris en 8,45.
2. Lactance doit compter ces nombreux siècles à partir des sept sages, car Épicure est né avant la mort de Platon. Peut-être l'extension chronologique est-elle destinée à marquer plus nettement l'isolement d'Épicure.
3. Ce passage est recueilli par H. Uesener (*Epicurea, ad frg.* 368, p. 246) avec les témoignages concernant l'attitude d'Épicure vis-à-vis de la providence. G. Arrighetti ne lui fait pas place dans son édition (Torino 1960).

tare idcirco non esse mundum diuina prouidentia factum,
290 quia materia eius diuina prouidentia facta non sit, sed quia mundus diuina prouidentia sit effectus, etiam materiam factam esse diuinitus. **52.** Credibilius est enim materiam potius a Deo factam, quia Deus potest omnia, quam mundum non esse a Deo factum, quia sine mente, ratione,
295 consilio, nihil fieri potest.

53. Verum haec non Ciceronis est culpa, sed sectae. Cum enim suscepisset disputationem qua deorum naturam tolleret, de qua philosophi garriebant, omnem diuinitatem ignorantia ueri putauit esse tollendam. **54.** Itaque deos
300 potuit tollere, quia non erant. Cum autem prouidentiam diuinam quae est in uno Deo conaretur euertere, quia contra ueritatem niti coeperat, deficientibus argumentis in hanc foueam necessario decidit, unde se extricare non posset. Hic ergo illum teneo haerentem, teneo
305 defixum, quoniam Lucilius qui contra disserebat ommutuit. **55.** Hic est cardo rerum, hic uertuntur omnia. Explicet se Cotta si potest ex hac uoragine, proferat argumenta quibus doceat semper fuisse materiam quam nulla prouidentia effecerit, ostendat quomodo quicquam
310 ponderosum et graue aut esse potuerit sine auctore aut

289 prouidentia... diuinitus : prouidentia sit effecta* (a *ex* u R² s *eras.*) sciendum itaque *(add.s.l.* R²*)* etiam materiam factam esse diuinitus R || 290 sit : est *g HM* || 296 sed : *om.* *P*¹ || sectae : factae *M* || 297 naturam : -a *g HM* || 298 tolleret : -etur *g HM* || garri[ebant : *hinc den. inc. G cuius pag. 29 uix legitur*

Rg BG HM PV

diuinitatem : ueritatem *P* || 299 ignorantia : -am *B*¹ *G (ut uidetur)* || putauit : putet *B*¹ putat *B*² || 300 erant : fuerant *g HM* || 301 in : *om.* R¹ || 303 necessario : *om.* *G* || 304 posset : potuit *BG* || ergo : ego R *P* || 305 quoniam : quia *BG* || 306 est : + ergo *V* || hic : huc R || uertuntur : -entur *BG* || 307 hac : *om.* *BG* || 309 effecerit : -erat R || 310 et : aut *P* || graue aut esse : grauem ut asse *B*¹ grauem a.e. *B*² graue a.e. *B*³ grauem esse *G* || potuerit : poterit R

n'aurait pas dû penser que le monde n'a pas été fait par une Providence, en considérant que sa matière n'a pas été faite par une divine Providence, mais que, puisque le monde a été fait par une Providence divine, la matière a, elle aussi, été faite de façon divine. **52.** Il est plus juste de croire, en effet, que la matière a été faite par Dieu parce que Dieu peut tout, que de croire que le monde n'a pas été fait par Dieu, parce que sans esprit, ni raison, ni intelligence, rien ne peut être fait.

Les erreurs formelles de Cicéron : contradictions

53. Ce n'est pourtant pas la faute de Cicéron, mais celle de son école. Quand il a entrepris, en effet, l'exposé où il voulait rejeter les dieux, dont les philosophes se gaussaient, son ignorance de la vérité lui a fait croire qu'il fallait nier toute divinité. **54.** De la sorte, il a pu rejeter les dieux, puisqu'ils n'existaient pas. Mais quand il a entrepris de renverser la providence divine qui se trouve dans le Dieu unique, étant donné qu'il avait entrepris de lutter contre la vérité, le manque d'arguments l'a fait fatalement tomber dans un piège d'où il était incapable de sortir. C'est donc là que je le tiens bloqué, que je le tiens cloué, car Lucilius, qui discutait contre lui, est resté muet. **55.** C'est ici qu'est le nœud de la question, c'est là que tout revient[1]. Que Cotta s'arrache, s'il le peut, à ce gouffre, qu'il présente des arguments qui puissent montrer qu'il a toujours existé une matière qu'aucune providence n'avait faite, qu'il montre comment un élément dense et pesant a pu exister sans

1. L'expression proverbiale qui inclut *cardo* s'écrit habituellement *in cardine res est* (A. OTTO, *Sprichwörter...*, p. 76). Cependant, la formulation que donne ici Lactance est vraisemblablement un emprunt, puisqu'elle a la forme d'un sénaire ïambique.

immutari ualuerit, ac desierit esse quod semper fuit, ut inciperet esse quod numquam fuit. **56.** Quae si docuerit, tum demum adsentiar ne mundum quidem diuina prouidentia constitutum, et tamen sic adsentiar ut aliis illum
315 laqueis teneam. **57.** Eodem enim quo nolet reuoluetur, ut dicat et materiam, de qua mundus est, et mundum, qui de materia est, natura extitisse, cum ego ipsam naturam Deum esse contendam. **58.** Nec enim potest facere mirabilia, id est maxima ratione constantia, nisi qui habet
320 mentem, prouidentiam, potestatem. **59.** Ita fiet ut Deus fecerit omnia, nec quicquam esse possit omnino quod non originem a Deo traxerit.

60. At idem, quotiens Epicureus est ac non uult a Deo factum esse mundum, quaerere solet quibus manibus,
325 quibus machinis, quibus uectibus, qua molitione tantum hoc opus fecerit. Videres fortasse, si eo tempore potuisses esse quo fecit. **61.** Sed ne perspiceret homo Dei opera, noluit eum inducere in hunc mundum nisi perfectis omnibus. **62.** Sed ne induci quidem poterat : quomodo
330 enim subsisteret, cum fabricaretur desuper caelum, terra subter fundaretur, cum fortasse umida uel nimiis rigoribus

FONTES : **60** CIC. *nat. deor.* 1,8,19

311 immutari : -are *V*[1] || ualuerit : uoluerit *P* || ac : aut *g HM* || desierit : -ierat *R*[1] || 313 tum : tunc *R* || adsentiar : consentiat *g* || 315 nolet : non uult *P* || 316 materiam : -ia *P* || qui de : quidem *G P* || est : *exp. B*[3] || 317 natura : -am *BG* materiam *g* || cum : tum *B* || ego : ergo *BG* || 318 nec : ne *Rg P* || 321 esse possit : poterit esse *G* || 325 tantum hoc : ~ *R* id tantum hoc *HM* || 326 uideres : -ere *B* -eret *g HM* || fortasse : + potuisse *B*[1] (potuisses *B*[3]) || potuisses : -et *g HM* || 327 quo : + deus *V* || 328 mundum : modum *V*[1] || 330 cum : quae *B* || terra : + que *B* || 331 subter : sub *P*[1] || nimiis : nimis *H V*[1]

1. *Idem* ne peut renvoyer à Cotta, qui vient pourtant d'être cité, mais

créateur ou a été capable de se modifier et a cessé d'être ce qu'il a toujours été, pour commencer à être ce qu'il n'a jamais été. **56.** S'il réussit à expliquer cela, alors seulement je reconnaîtrai que le monde n'a pas été fait par une divine providence : il est vrai que je le reconnaîtrai de telle manière que je le tiendrai dans d'autres filets. **57.** En effet, il se trouvera ramené là où il ne voudrait pas, c'est-à-dire à reconnaître que la matière, de laquelle est né le monde, ainsi que le monde, qui est né de la matière, doivent leur existence à la nature, pendant que moi, je soutiendrai que cette même nature, c'est Dieu. **58.** En effet, nul ne peut faire des choses admirables, c'est-à-dire des choses ordonnées de la façon la plus rationnelle, sinon celui qui détient l'esprit, la clairvoyance, la puissance. **59.** Ainsi se trouvera-t-il que Dieu a fait toutes choses, et que rien, absolument, ne peut exister sans avoir tiré de Dieu son origine.

Discussion de l'objection épicurienne sur les modalités de la création

60. D'autre part, ce même Cicéron[1], dans son personnage d'Épicurien, n'accepte pas que le monde ait été fait par Dieu, ne cesse de demander avec quelles mains, quelles machines, quels matériaux, quels leviers il a fait pareil ouvrage. Peut-être le saurais-tu, si tu avais pu exister à l'époque où il l'a fait. **61.** Mais, pour que l'homme ne le voie pas au travail, Dieu n'a pas voulu l'introduire dans le monde avant d'avoir tout achevé. **62.** D'ailleurs, il n'était pas non plus possible qu'il y fût introduit : comment se serait-il installé pendant que le ciel se fabriquait au-dessus de lui, qu'en dessous la terre trouvait ses soubassements, au moment où, sans doute, les

renvoie à Cicéron, caché derrière Velléius, dont les propos sont cités ici *ad sensum*.

torporata concrescerent uel igneis caloribus incocta et solidata durescerent? Aut quomodo uiueret nondum sole instituto, nec frugibus aut animalibus natis? Itaque necesse
335 fuit hominem postremo fieri[d], cum iam mundo ceterisque rebus manus summa esset imposita. **63.** Denique sanctae litterae docent hominem fuisse ultimum Dei opus et sic inductum esse in hunc mundum quasi in domum iam paratam et instructam : illius enim causa facta sunt omnia.
340 **64.** Idem etiam poetae fatentur. Ouidius, perfecto iam mundo et uniuersis animalibus figuratis, hoc addidit :

«Sanctius his animal mentisque capacius altae
Derat adhuc, et quod dominari in cetera posset :
Natus homo est.»

345 Adeo nefas existimandum est ea scrutari quae Deus uoluit esse celata!

65. Verum ille non audiendi aut discendi studio requirebat, sed refellendi, quia confidebat neminem id posse dicere : quasi uero ex hoc putandum sit non esse haec
350 diuinitus facta quia quomodo facta sint non potest peruideri. **66.** An tu si educatus in domo fabre facta et ornata nullam umquam fabricam uidisses, domum illam putasses non esse ab homine aedificatam, quia quomodo aedificetur ignorares? Idem profecto de domo quaereres quod nunc
355 de mundo requiris : quibus manibus, quibus ferramentis

FONTES : **64** OV. *met.* 1,76-78 **66** *Cf.* CIC. *nat. deor.* 2,5,15

332 torporata *Br.* : cor- *codd.* || concrescerent : crescerent *B*¹ *corr.* *B*³ || 333 solidata : solida *P* || durescerent : -eret *B* durent *HM* || sole : solo *B* || 338 inductum : ductum *g HM* || 342 sanctius : sanctus *V*¹ || his : hiis *g* hic *HM* || mentisque : mentique *B* || 343 derat : deerat *BR* dederat *HM* || 345 adeo : ad ea *g* a deo *M* || deus uoluit : ~ *B* || 346 aut discendi : *om.* *P* || discendi : discendendi *V*¹ || 351 in domo : in. M̂.O. dô *V* || fabre facta : fabrecata *B*¹ *corr.* *B*³ fabrifacta *g* || 352 nullam umquam : nulla quam *V*¹ || uidisses : -isse R¹ || 353 aedificatam : -ta *H* -tur *P* -retur *g H* || 354 ignorares : -asses *g H* || 355 mundo : domo *M*

d. Gen. 1.

éléments humides soit se solidifiaient, gelés par des froids rigoureux, soit se durcissaient, cuits et desséchés par l'ardeur des feux? Comment aurait-il vécu pendant que le soleil n'était pas encore en place, avant que les fruits de la terre et les animaux fussent nés? C'est pourquoi il était nécessaire que l'homme fût fait le dernier, une fois que la dernière main avait été mise au monde et aux autres choses. **63.** Enfin, les saintes écritures enseignent que l'homme a été le dernier ouvrage de Dieu et qu'il a été introduit dans ce monde comme dans une maison déjà toute prête et équipée; car c'est pour lui que toutes choses ont été faites. **64.** Les poètes proclament aussi la même chose. Ovide, une fois que le monde a été achevé et que tous les animaux ont reçu leur forme, ajoute ceci :

> «Un animal plus saint, plus capable d'une haute intelligence, et qui pût commander à tous les autres, manquait encore; l'homme naquit.»

Tant on doit considérer comme sacrilège d'examiner ce que Dieu a voulu tenir caché!

La curiosité épicurienne est malsaine

65. Toutefois, ce n'est pas le goût d'entendre ou d'apprendre qui lui faisait poser ces questions, mais l'esprit de contradiction, parce qu'il était certain que nul ne pouvait lui répondre : comme si on devait considérer que ces choses n'ont pas été faites de façon divine simplement parce qu'on ne peut pas voir clairement comment elles ont été faites. **66.** Est-ce que toi, si, sans avoir jamais vu d'atelier, tu avais été élevé dans une maison faite et meublée par un artisan, tu aurais pensé que pareille maison n'a pas été faite par un homme, sous prétexte que tu ignorerais comment elle a été construite? Tu poserais sur la maison les mêmes questions que tu poses actuellement sur le monde : avec quelle main-d'œuvre,

homo tanta esset opera molitus, maxime si saxa ingentia,
immensa caementa, uastas columnas, opus totum sublime
et excelsum uideres. Nonne haec tibi humanarum
uirium modum uiderentur excedere, quia illa non
360 tam uiribus quam ratione atque artificio facta esse
nescires? **67.** Quodsi homo, in quo nihil perfectum est,
tamen plus efficit ratione quam uires eius exiguae
patiuntur, quid est cur incredibile tibi esse uideatur cum
mundus dicitur factus a Deo, in quo, quia perfectus est, nec
365 sapientia potest habere terminum nec fortitudo mensuram?

68. Opera ipsius uidentur oculis, quomodo autem illa
fecerit, ne mente quidem uidetur, quia, ut Hermes ait,
mortale immortali, temporale perpetuo, corruptibile incor-
rupto propinquare non potest, id est propius accedere et
370 intellegentia subsequi. Et ideo terrenum adhuc animal
rerum caelestium perspectionem non capit, quia corpore
quasi custodia saeptum tenetur quominus soluto ac libero
sensu cernat omnia. **69.** Sciat igitur quam inepte faciat
qui res inenarrabiles quaerat. Hoc est enim modum condi-
375 cionis suae transgredi nec intellegere quousque homini
liceat accedere. **70.** Denique cum aperiret homini ueritatem, Deus ea sola scire nos uoluit quae interfuit hominem
scire ad uitam consequendam; quae uero ad curiosam
et profanam cupiditatem pertinebant, reticuit, ut arcana
380 essent. **71.** Quid ergo quaeris quae nec potes scire nec, si

FONTES : **68** *Corp. Herm.* t. 4 p. 108; *cf.* t. 3 p. 2

356 esset opera : ~ *B* || esset : *om. g* || 359 uiderentur : uidentur V^1 || 360 artificio : arteficio B^1 *corr.* B^3 || 362 eius : *om. P* || 366 opera : -am *P* || uidentur oculis : uiderentur oculi V^1 uidentur o. V^2 || illa : -am *P* || 367 quia H^1M^1 || 368 temporale : tempore V^1 || 369 propius : proprius *R P* || et : atque R || 374 quaerat : -et *R* || 378 ad² (curiosam) : + se V^1 || 379 arcana : -naea *R*

avec quels outils un homme a-t-il pu accomplir pareil ouvrage? Surtout si tu voyais des pierres énormes, de gros mœllons, d'immenses colonnes et tout un édifice de taille monumentale. Tout cela ne te semblerait-il pas excéder la limite des force humaines, étant donné que tu ignorerais que tout cela aurait été fait moins à force de bras qu'à l'aide de la raison et de la technique? **67.** Et si l'homme, en qui rien n'est parfait, est cependant capable de faire, grâce à sa raison, plus de choses que ses forces restreintes ne le lui permettent, pour quelle raison cela te semblerait-il une chose incroyable que l'on dise que le monde a été fait par Dieu, en qui, parce qu'il est parfait, la sagesse ne peut avoir de terme, ni la force de limite?

L'homme ne peut tout savoir

68. Ses œuvres apparaissent à nos yeux; en revanche, comment les a-t-il faites, même l'esprit ne peut le concevoir, car, comme le dit Hermès, le mortel ne peut *approcher* (c'est-à-dire en être tout *proche* et le saisir par son intelligence) l'immortel, ni le temporel l'éternel, ni le corruptible l'incorruptible. Et un animal encore terrestre ne peut parvenir à la vision des choses célestes, pour la bonne raison qu'enfermé dans son corps comme en une prison, il ne peut voir toutes choses avec un esprit libre et dégagé. **69.** Qu'il se rende compte de la sottise de son attitude, celui qui s'enquiert des choses qu'on ne peut dire. C'est, en effet, transgresser les limites de sa condition et ne pas comprendre jusqu'où l'homme a le pouvoir d'aller. **70.** Enfin, en révélant la vérité à l'homme, Dieu a voulu que nous sachions seulement ce qu'il était utile à l'homme de savoir pour conduire sa vie; quant à ce qui touchait à un désir curieux et profane, il l'a tu, pour que cela demeurât secret. **71.** Pourquoi donc cherches-tu ce que tu ne peux

scias, beatior fies? Perfecta est in homine sapientia, si et Deum esse unum et ab ipso facta esse uniuersa cognoscat.

CAPVT IX

1. Nunc, quoniam refutauimus eos qui de mundo et de factore eius Deo aliter sentiunt quam ueritas habet, ad diuinam mundi fabricam reuertamur, de qua in arcanis religionis sanctae litteris traditur.

5 **2.** Fecit igitur Deus primum omnium caelum et in sublime suspendit[a], quod esset sedes ipsius Dei conditoris[b]. Deinde terram fundauit ac subdidit caelo, quam homo cum ceteris animalium generibus incoleret. Eam uoluit umore circumflui et contineri. **3.** Suum uero habitacu-
10 lum distinxit claris luminibus et impleuit[c], sole scilicet et lunae orbe fulgenti et astrorum micantium splendentibus signis adornauit. Tenebras autem, quod est his contrarium, constituit in terra; nihil enim per se continet luminis, nisi accipiat e caelo : in quo posuit lucem perennem et superos
15 et uitam perpetuam, et contra in terra tenebras et inferos et

381 scias : -es *B* scires *g M* || fies : -as *V*
1 nunc : num *B* || 7 terram fundauit : ∼ *P* || 10 sole scilicet : scilicet so[l] *P* || 11 micantium : -ti *V*¹ -tia *V*² || 12 adornauit : cf. p. 219 || [tenebras : *hinc denuo inc. G*
RSg BG HM PV
quod est his : his quod est *V* his est *H* || 13 terra : -am *G* || nisi : *om G* || 14 superos : -ro *B*¹ *corr. B*³ || superos et uitam : super uitam *G* || 1[5] et¹ : *om. P* || et² : e *B om. HM*

a. Gen. 1, 1.8. || b. Ps. 11, 4. || c. Gen. 1, 14-18.

1. Sur l'attitude des Anciens à l'égard de la *Curiositas,* on trouvera u[n] point bibliographique dans J.-C. FREDOUILLE, *Tertullien et la conver[-] sion...,* Paris 1972, p. 413, n. 5.

2. Tout au long de ce chapitre, Lactance présente un monde créé pa[r] Dieu sur un modèle binaire, composé de couples d'éléments fondamen[-] taux et antagonistes. Ce chapitre a été étudié d'abord par K. Vilhemso[n]

savoir, et qui ne te rendrait pas plus heureux si tu le savais[1] ? La sagesse est accomplie en l'homme, s'il sait qu'il existe un seul Dieu, et que par lui tout a été fait.

CHAPITRE IX

Les étapes de la création

1. Maintenant, puisque nous avons réfuté ceux qui, au sujet du monde et de Dieu son auteur, pensent autrement que ne l'exige la vérité, revenons à cette divine fabrication du monde que nous rapportent les écrits secrets de la sainte religion[2].

Le ciel

2. Dieu a donc fait, avant toutes choses, le ciel, et il l'a suspendu dans les hauteurs, car il était le propre domicile de ce Dieu lui-même créateur. Ensuite, il a solidement installé la terre et il l'a placée sous le ciel, pour que l'homme pût l'habiter avec les autres espèces d'êtres vivants. Il a voulu qu'elle fût entourée et encadrée de toutes parts par un élément liquide. 3. Quant à sa propre demeure, il l'a marquée et emplie d'éclatants luminaires, c'est-à-dire qu'il l'a ornée du soleil, du disque brillant de la lune et des signes lumineux des astres qui scintillent. Quant aux ténèbres, c'est-à-dire le contraire de tout cela, il les a réservées à la terre : car celle-ci ne contient par elle-même aucune lumière, si elle n'en reçoit pas du ciel. C'est là-haut qu'il a placé la lumière qui dure toujours, les êtres supérieurs et la vie éternelle, et,

qui a cité de nombreux passages analogues tirés des doctrines orientales; puis par V. Loi, qui a montré l'importance des sources latines et d'éléments d'origine stoïcienne. M. PERRIN, enfin, montre la banalité d'un certain nombre de ces notions, avant de faire apparaître l'originalité de l'élaboration lactancienne (*L'Homme antique...*, p. 352-356, où l'on trouvera analyse critique et références des travaux précédents).

mortem. **4.** Tanto enim haec ab illis superioribus distant, quantum mala a bonis et uitia a uirtutibus.

5. Ipsius quoque terrae binas partes contrarias inter se diuersasque constituit, orientem scilicet occidentemque.
20 Ex quibus *oriens* Deo accensetur, quia ipse luminis fons et illustrator est rerum et quod *oriri* nos faciat ad uitam sempiternam; *occidens* autem conturbatae illi prauaeque menti adscribitur, quod lumen abscondat, quod tenebras semper inducat, et quod homines faciat *occidere* atque
25 interire peccatis. **6.** Nam sicut lux orientis est, in luce autem uitae ratio uersatur, sic occidentis tenebrae sunt, in tenebris autem mors et interitus continetur. **7.** Deinde alteras partes eadem ratione dimensus est, meridiem ac septentrionem, quae partes illis duabus societate iun-
30 guntur. **8.** Ea enim quae est solis calore flagrantior proxima est et cohaeret orienti, at illa quae frigoribus ac perpetuo gelu torpet eiusdem est cuius extremus occasus. Nam sicut contrariae sunt lumini tenebrae, ita frigus calori. **9.** Vt igitur calor lumini est proximus, sic meri-
35 dies orienti, ut frigus tenebris, ita plaga septentrionalis occasui. Quibus singulis partibus suum tempus adtribuit, uer scilicet orienti, aestatem meridianae plagae; occidentis autumnus est, septentrionis hibernum. **10.** In his quoque duabus partibus, meridiana et septentrionali, figura uitae ac

16 tanto : -um *g HM* || 17 quantum : -o *BG* || mala : + a *HM Br.* || uitia : + a R *HM Br. uide Heck* p. 182 || 18 ipsius : ipsi *G* || terrae : -as *V* || 19 scilicet : + et *G P*[1] || 20 accensetur : censetur *G* || 22 prauaeque : prauique *G* prauaque *H*[1] *M*[1] || 24 homines : *om. P*[1] || 26 uitae ratio : ~ *g HM* || 27 deinde : demum *g* || 28 ac : *om. G* || 29 societate : sociatae *B*[1] *G* || 30 est : *om. BG* || calore : calor *P* || flagrantior : + est *BG* frantior *R* fraglantior *HM* flagantior *V* || 31 quae : qua *g HM* || frigoribus : frigidioribus *BG* || 31 ac : et *g HM* || occasus] *hic deficit* R *inc.* R
RPSg BG HM PV
33 sunt lumini : ~ *g* || 35 plaga : + est *P* || septentrionalis : septentrionis *R G V* || 37 aestatem : -e *HM* || 38 est : et *P* || septentrionis : -trionalis *HM* || hibernum *Br.* : -us *codd.* || 39 meridiana : -ae *H*

au contraire, sur la terre, les ténèbres, les êtres inférieurs et la mort. **4.** Ces éléments, en effet, sont aussi éloignés des précédents que le mal l'est du bien, le vice de la vertu.

La terre

5. Il a également organisé la terre en deux parties opposées l'une à l'autre et ennemies, l'Orient et l'Occident. L'une d'elles, l'*Orient,* se rattache à Dieu, parce que celui-ci est justement la source de la lumière, celui qui illumine toutes choses, et parce qu'il est pour nous *origine* de la vie éternelle. L'*Occident* est, au contraire, attribué à cet esprit perverti et dévoyé, parce qu'il cache la lumière, répand sans cesse les ténèbres, *occit* les hommes et les fait mourir par le péché. **6.** Car, de même que la lumière est l'apanage de l'Orient, et que, dans la lumière, se trouve le principe de la vie, de même l'Occident détient les ténèbres, et, dans les ténèbres, se trouvent la mort et la perdition. **7.** Puis, de la même manière, il a délimité deux autres parties, le Midi et le Nord, qui sont alliées chacune à l'une des deux autres. **8.** En effet, celle qui est plus réchauffée par la chaleur du soleil est plus proche de l'Orient, et elle est unie à lui; celle qui est toujours engourdie par les frimas et un gel perpétuel appartient au même domaine que les extrémités du couchant. Car, tout comme les ténèbres s'opposent à la lumière, le froid s'oppose à la chaleur. **9.** Et comme la chaleur est toute proche de la lumière, ainsi le Midi est-il proche de l'Orient; comme le froid est tout proche des ténèbres, ainsi la partie septentrionale est-elle toute proche du couchant. Et à chacune de ces parties il a attribué une saison, le printemps à l'Orient, l'été à la région du Midi; l'automne est à l'Occident, l'hiver au Septentrion. **10.** Dans ces deux parties également, Midi et Septentrion,

mortis continetur, quia uita in calore est, mors in frigore. Sicut autem calor ex igni est, ita frigus ex aqua.

11. Secundum harum partium dimensionem diem quoque fecit ac noctem[d], quae spatia et orbes temporum perpetuos ac uolubiles, quos uocamus annos, alterna per uices successione conficiant. Dies, quem primus oriens subministrat, Dei sit necesse est, ut omnia quaecumque meliora sunt; nox autem, quam occidens extremus inducit, eius scilicet quem Dei esse aemulum diximus. Quae duo etiam in hoc praescius futurorum Deus fecit, ut ex his et uerae religionis et falsarum superstitionum imago quaedam ostenderetur. **12.** Nam sicut sol, qui oritur in diem, licet sit unus, unde *solem* esse appellatum Cicero uult uideri, quod obscuratis sideribus *solus* appareat, tamen quia uerum ac perfectae plenitudinis lumen est et calore potentissimo et fulgore clarissimo illustrat omnia, ita in Deo, licet sit unus, et maiestas et uirtus et claritudo perfecta est. **13.** Nox autem, quam prauo illi antitheo dicimus adtributam, eius ipsius multas et uarias religiones per similitudinem monstrat. **14.** Quamuis enim stellae innumerabiles micare ac radiare uideantur, tamen quia non sunt plena et solida lumina, nec caloris praeferunt quicquam nec tenebras multitudine sua uincunt.

FONTES : **12** CIC. *nat. deor.* 2,27,68

41 igni : -e *Rg HM* || || 42 diem : die *H* || 43 quae : qui *R V* qu* *eras.) B* quia *P* || orbes : -is *P* || 45 conficiant : perficiant *g HM* || primus -mu B^1 -mum B^3 *HM* || 48 quae duo : quando *B* || 50 religionis : -es *B* falsarum : -orum B^1 *corr.* B^3 || 54 lumen : nomen *P* || potentissimo potissimo *PV* || 56 unus : -a *P* || 59 monstrat : demonstrat *B P* monstrat *G* || 60 et : ac *B P* || 61 praeferunt : praefecerunt V^1 || nec : *om.*

d. Gen. 1, 14-18.

1. Cf. *supra* 8,4; 9,5.

se trouve une figure de la vie et de la mort, car la vie se trouve dans la chaleur, la mort dans le froid. Tout comme la chaleur vient du feu, ainsi le froid vient de l'eau.

Le jour et la nuit

11. Parallèlement à ce partage en deux parties, il a fait également le jour et la nuit, dont les successions répétées et alternées devaient déterminer ces portions et ces cycles de temps périodiques qui recommencent sans cesse et que nous appelons des années. Le jour, que nous apportent les premières lueurs du levant, relève nécessairement de Dieu, comme tout ce qui appartient à la catégorie supérieure, tandis que la nuit, que nous envoient les dernières lueurs du couchant, relève de celui que nous avons dit être le rival de Dieu[1]. Ces deux éléments, Dieu les a faits en toute connaissance de l'avenir, pour faire apparaître par leur intermédiaire une sorte d'image de la véritable religion et des superstitions trompeuses. **12.** En effet, le soleil, qui se lève chaque jour, même s'il est unique (Cicéron pense que s'il a été appelé *sol*eil, c'est parce qu'il est le *seul* visible quand tous les autres astres sont cachés), irradie cependant toute chose de sa chaleur si puissante et de sa lumière si éclatante, car il est la véritable lumière, d'une perfection achevée : de même, en Dieu, même s'il est unique, la majesté, la vertu et la clarté sont parfaites. **13.** En revanche, la nuit, que nous disons avoir été attribuée à cet anti-Dieu[2] dévoyé, offre une image de ces religions multiples et différentes. **14.** En effet, les étoiles innombrables ont beau, en apparence, scintiller et briller, pourtant, puisqu'elles ne sont pas des luminaires pleins et solides, elles n'apportent aucune chaleur et ne triomphent pas des ténèbres par leur nombre.

2. Le terme *antitheus* n'apparaît, d'après le *ThLL,* que chez Lactance et Arnobe, une seule fois chez chacun d'eux (ARN. *nat.* 4,12).

15. Duo igitur illa principalia inueniuntur, quae diuersam et contrariam sibi habent potestatem, calor et
65 umor, quae mirabiliter Deus ad sustentanda et gignenda omnia excogitauit. **16.** Nam cum uirtus Dei sit in calore et igni, nisi ardorem uimque eius admixta umoris ac frigoris materia temperasset, nec nasci quicquam nec cohaerere potuisset, quin statim conflagratione interiret
70 quidquid esse coepisset. **17.** Vnde et philosophi quidam et poetae « discordi concordia » mundum constare dixerunt, sed rationem penitus non uidebant. **18.** Heraclitus ex igni nata esse dixit omnia, Thales ex aqua. Vterque uidit aliquid, sed errauit tamen uterque, quod alterutrum si
75 solum fuisset, neque aqua nasci posset ex igni neque rursus ignis ex aqua : sed est uerius simul ex utroque permixto cuncta generari. **19.** Ignis quidem permisceri cum aqua non potest, quia sunt utraque inimica, et si comminus uenerint, alterutrum quod superauerit conficiat alterum
80 necesse est, sed eorum substantiae permisceri possunt : substantia ignis calor est, aquae umor. **20.** Recte igitur Ouidius :

« Quippe ubi temperiem sumpsere umorque calorque
Concipiunt et ab his oriuntur cuncta duobus.

FONTES : **17** LVC. *Phars.* 1,98 **19** *Cf.* OV. *fast.* 4,787 s. **20** OV. *met.* 1,430

65 ad : in *g* || et : *om. HM* || 67 admixta : -am *B* || 68 materia : -am *H* 69 cohaerere : cohere *P*[1] || potuisset : -ent *V* || conflagratione : confra-glatione *HM* conflag *V*[1] || 71 constare : stare *B* || 73 igni : ini *B*[1] *corr. B* igne *Rg P* || 74 uterque : utea *B*[1] *corr. B*[2] || 75 igni : -e *g P* || 76 est : et *B* 77 quidem : qui quidem *HM* || permisceri : misceri *P* || 78 utraque : u… *V*[1] || 79 uenerint : -rit *H*[1] || superauerit : superauit *P* || 81 aquae umor atqueumor *B*[1] || 84 oriuntur] cuncta : *hinc denuo inc. G*

La chaleur et l'humidité

15. On trouve donc ces deux principes fondamentaux, qui ont des puissances différentes et opposées l'une à l'autre, la chaleur et l'humidité, que Dieu a conçues de façon admirable pour entretenir et faire naître toutes choses. **16.** Car, puisque la vertu de Dieu se trouve dans la chaleur et le feu, si aucune particule d'humidité et de froid n'était venue se mêler à sa chaleur ardente pour la tempérer, rien n'aurait pu naître ni subsister sans qu'aussitôt une explosion de chaleur ne tuât ce qui aurait commencé à exister. **17.** C'est pourquoi certains philosophes, ainsi que des poètes, ont dit que le monde était fondé sur un «accord discordant[1]», mais ils n'en voyaient absolument pas la raison. **18.** Héraclite a dit que tout était né du feu, Thalès de l'eau. Ils ont, l'un et l'autre, vu quelque chose, mais se sont également trompés l'un et l'autre, car si un seul des deux éléments avait existé, l'eau n'aurait pas pu naître du feu, ni réciproquement, le feu naître de l'eau : mais il est plus exact que toutes choses sont nées simultanément d'une intime union de l'un avec l'autre. **19.** Il est vrai, certes, que le feu ne peut s'unir à l'eau, car les deux éléments sont ennemis, et, s'ils viennent à être en contact, l'un des deux l'emporte nécessairement sur l'autre et le fait disparaître; mais leurs substances peuvent s'unir : la substance du feu, c'est la chaleur; celle de l'eau, c'est l'humidité. **20.** Ovide a donc raison d'écrire :

«Une fois que l'humidité et la chaleur ont établi un équilibre, elles conçoivent et tout naît de ces deux

1. L'expression est empruntée aux vers d'Ovide cités au § 20; cet oxymoron a sans doute été créé par HORACE pour résumer les théories d'Empédocle (*epist.* 1,12,19); il avait été repris également par LUCAIN (1,98) pour qualifier l'accord des chefs qui précéda la guerre civile.

85 Cumque sit ignis aquae pugnax, uapor umidus omnes
Res creat et discors concordia fetibus apta est.»

21. Alterum enim quasi masculinum elementum est, alterum quasi femininum, alterum actiuum, alterum patibile. Ideoque a ueteribus institutum est ut sacramento ignis 90 et aquae nuptiarum foedera sanciantur, quod fetus animantium calore et umore corporentur atque animentur ad uitam. **22.** Cum enim constet omne animal ex anima et corpore, materia corporis in umore est, animae in calore : quod ex auium fetibus datur scire, quos crassi umoris 95 plenos nisi opifex calor fouerit, nec umor potest corporari nec corpus animari. **23.** Exulibus quoque igni et aqua interdici solebat : adhuc enim nefas uidebatur quamuis malos, tamen homines supplicio capitis adficere. **24.** Interdicto igitur usu earum rerum quibus uita hominum 100 constat, perinde habebatur ac si esset qui eam sententiam exceperat morte multatus. Adeo duo ista elementa prima

FONTES : **21** *Cf.* VARR. *ling.* 5,61 ; OV. *fast.* 4,787 s. **23** *Cf.* OV. *fast.* 4,787 s.

Rg BG HM PV

85 aquae : *om.* P^1 || pugnax : pugnans *g B* repugnans *HM* || omnes : -is *V* || 86 res creat : recreat *HM P* || discors : + haec *HM* || fetibus : reb. B^1 *corr.* B^3 || 87 elementum : *om.* B^1 *(corr.* B^3*) G* || 88 femininum : feminum H^1 || 89 sacramento : -um *B G (ut uidetur)* || 90 foedera : -e B^1 *(corr.* B^3*) G* || sanciantur : -atur B^1 *(corr.* B^3*) G* P^1 sanctiantur *g* || 91 calore : colore B^1 *corr.* B^3 || 93 materia : -ae *G* P^1 || corporis in umore : *om. G* || in umore : innumerae B^1 *corr.* B^3 in more *P* || in calore : incolare *H* || calore : -em *G* || 94 quos : quod *BG (ut uidetur) P* || umoris : -es *P* -i V^1 || 95 fouerit : fuerit H^1 || 96 igni : -is *g B* || 98 tamen : *om. P* || adficere : adfligere *B P* adfligerem *G (ut uidetur)* || 99 usu earum rerum : suarum rerum *G* || 101 adeo : adêo *B* adeos *P* adô *V*

1. Ce rite, presque toujours évoqué dans les textes relatifs au mariage est assez mal connu. Selon certains, le mari recevait son épouse en lui présentant l'eau et le feu, symboles de la vie et éléments du culte commun qui désormais les unira. Selon d'autres, c'est la jeune mariée qui apportait du feu de son foyer, et elle était aspergée d'eau dans un rite de purification.

éléments. Et, bien que le feu soit l'adversaire de l'eau, c'est la vapeur humide qui crée toutes choses, et cet accord discordant se prête à fabriquer des embryons.» **21.** Car l'un est, en quelque sorte, un élément masculin, l'autre pour ainsi dire féminin; l'un actif, l'autre passif. Voilà pourquoi les anciens ont établi que les contrats de mariage seraient sanctionnés par un sacrement d'eau et de feu[1], car c'est de la chaleur et de l'humidité que les embryons des êtres vivants reçoivent leurs corps, puis le souffle qui les fera vivre. **22.** Étant donné que tout être vivant est formé d'une âme et d'un corps, la substance du corps est faite d'humidité, celle de l'âme est faite de chaleur[2] : on peut s'en rendre compte par l'exemple des œufs des oiseaux : ils sont remplis d'une humidité visqueuse, et si la chaleur créatrice ne les réchauffe pas, l'humide ne peut prendre corps, ni le corps prendre vie. **23.** Aux exilés, on avait coutume d'interdire l'eau et le feu[3] : en effet, bien que criminels, c'étaient pourtant des hommes, et il paraissait alors sacrilège de les condamner à être décapités. **24.** Donc, si on interdisait l'usage des éléments dont se compose la vie de l'homme, tout se passait comme si celui qui avait fait l'objet de cette sentence avait été puni de mort. Ces deux éléments étaient

2. Cette définition matérialiste de l'âme est contredite, au moins en apparence, dans le *De opificio*. Sur ces variations, cf. M. PERRIN, *L'Homme antique...*, p. 269-270.

3. Telle était la formule par laquelle était signifiée la peine d'exil. La justification qu'en donne ensuite Lactance en expliquant qu'il s'agit des deux éléments fondamentaux de la vie, est extrêmement répandue. Quant à la mise en parallèle du rite du mariage et de la formule de bannissement, elle se rencontre chez les juristes : cf. PAVL. FEST. 2 : «aqua et igni tam interdici solet damnatis quam accipiuntur nuptae quia hae duae res humanam uitam maxime continent» (on a coutume de priver les condamnés d'eau et de feu, exactement comme on en donne aux jeunes épouses, car ces deux éléments englobent la totalité de la vie humaine).

sunt habita ut nec ortum hominis nec uitam sine his crediderint posse constare. **25.** Horum alterum nobis commune cum ceteris animalibus est, alterum soli homini
105 datum. Nos enim, quoniam caeleste atque immortale animal sumus, igni utimur, qui nobis in argumentum immortalitatis est datus, quoniam ignis e caelo est; cuius natura quia mobilis est et sursum nititur, uitae continet rationem. **26.** Cetera uero animalia quoniam sunt tota
110 mortalia, tantummodo aqua utuntur, quod est elementum corporale atque terrenum. Cuius natura, quia mobilis est ac deorsum uergens, figuram mortis ostendit. Ideo pecudes neque in caelum suspiciunt neque religionem sentiunt, quoniam ab his usus ignis alienus est. **27.** Vnde autem
115 uel quomodo Deus haec duo principalia, ignem et aquam, uel accenderit uel eliquauerit, solus potest scire qui fecit.

CAPVT X

1. Consummato igitur mundo, animalia uarii generis[a], dissimilibus formis, et magna et minora ut fierent imperauit. Et facta sunt bina, id est diuersi sexus singula[b], ex quorum fetibus et aer et maria completa sunt, deditque his
5 omnibus generatim Deus alimenta de terra, ut usui esse homini possent[c], alia nimirum ad cibos, alia uero ad

FONTES : 1 *Cf.* CIC. *leg.* 1,8,25

102 prima sunt : ~ *B* || ortum : horum *M* || 104 animalibus animantibus *B* || est : + et *HM* || 107 est datus : ~ *g* || est datus] *hic desin G*

Rg B HM PV

108 quia : quoniam *H* || 109 cetera : -o *M* || 110 quod... corporale quod elementum est utuntur corporale *B* || 111 mobilis : immobilis *[illegible]* mollis *P* || 114 ab : *om.* *HM* || 115 quomodo deus : quomod *H* principalia : principia *P*¹ || 116 accenderit : -dit *g* || eliquauerit : liquaueri*[illegible]* *P*

considérés comme si essentiels que l'on croyait que ni la naissance de l'homme, ni sa vie, ne pouvaient être assurées sans eux. **25.** L'un des deux nous est commun avec tous les autres animaux, l'autre n'a été donné qu'à l'homme. En effet, puisque nous sommes un animal céleste et immortel, nous nous servons du feu, qui nous a été donné comme preuve de notre immortalité, puisque le feu vient du ciel : étant donné que, par nature, il est doué de mouvement et tend vers le haut, il contient le principe de la vie. **26.** Quant aux autres animaux, comme ils sont totalement mortels, ils ne se servent que de l'eau, élément corporel et terrestre : étant donné que, par nature, celle-ci est douée de mouvement et s'écoule de haut en bas, elle offre une image de la mort. Si donc les bêtes ne regardent pas vers le ciel et ne connaissent pas la religion, c'est que l'usage du feu leur est étranger. **27.** Quant à ces deux éléments fondamentaux, l'eau et le feu, d'où et comment Dieu leur a-t-il donné flamme et liquidité, seul peut le savoir celui qui les a faits.

CHAPITRE X

Création des animaux

1. Une fois le monde achevé, il donna l'ordre qu'il y eût des animaux d'espèces diverses, aux formes variées, des grands et des petits. Et ils apparurent par paires, c'est-à-dire un de chaque sexe, et leurs petits ont empli l'air, la terre et la mer; et Dieu leur a donné à tous, selon leur espèce, des aliments tirés de la terre, pour qu'ils pussent être utiles à l'homme : les uns pour ses aliments, les

1 consummato : consumpto *P* || uarii : -iis *B* || 2 ut : uti *G HM PV Br.* || 5 alimenta : elementa *V* || 6 homini : -bus *R V* + esse *HM*

a. Gen. 1, 20.25. || b. Gen. 1, 30. || c. Gen. 9, 3.

uestitum, quae autem magnarum sunt uirium ut in excolenda terra *iuuarent* : unde sunt dicta *iumenta*.

2. Ita rebus omnibus mirabili discriptione compositis, 10 regnum sibi aeternum parare constituit et innumerabiles animas procreare, quibus immortalitatem daret. **3.** Tum fecit sibi ipse simulacrum sensibile atque intellegens[d], id est ad imaginis suae formam, qua nihil potest esse perfectius : hominem figurauit ex limo terrae[e]; unde *homo* nuncu- 15 patus est, quod sit fictus ex *humo*. **4.** Denique Plato humanam formam θεοειδῆ esse ait, et Sibylla quae dicit :

Εἰκὼν ἐστ' ἄνθρωπος ἐμὴ λόγον ὀρθὸν ἔχουσα.

5. De hac hominis fictione poetae quoque quamuis corrupte, tamen non aliter tradiderunt : namque hominem 20 de luto a Prometheo factum esse dixerunt. Res eos non fefellit, sed nomen artificis. **6.** Nullas enim litteras ueritatis attigerant, sed quae prophetarum uaticinio tradita in sacrario Dei continebantur, ea de fabulis et obscura opi-

FONTES : 4 PLAT. *rep.* 501 b; *Orac. Sib.* 8,402

7 ut : *om.* P^1 || 8 iuuarent : iubarent *HM* || 9 rebus omnibus : ~ *P* || discriptione : descriptione *g B HM V* discretione R || 10 parare : patrare *B* || et : eo *B* || 11 procreare : -ari *HM* || immortalitatem : -lite V^1 || daret : dedit *g V* || 12 sibi ipse : ~ *g HM* || 14 ex : e R || 15 est : *om. B* || fictus : factus *HM* P^1 || humo : limo *V* || 16 θεοειδη *Br.* : theoiden *g B* theo.i.den *P* theonidê *HM* ΑΘΕΟΙΑΗΝ R || esse ait : adserit *B* || 18 fictione : finctione *HM* || 20 factum : fictum R || eos : *om.* V^1 || 23 ea de : eadem *B P*

d. Gen. 1, 26-27. || e. Gen. 2, 7.

1. Les Anciens rattachent le mot tantôt à *iungendo,* tantôt à *iuuando* (*e.g.* COLVM. 6, *praef.* 3). L'étymologie retenue ici par Lactance survit chez HIER. *adu. Iou.* 2,5; *in Es.* 1,3; AVG. *quaest. hept.* 5,38; ISID. *orig.* 12,1,4-7; 16,18,4.

2. Ce récit de la création fond les deux récits de la *Genèse,* sans distinguer l'homme créé (*Gen.* 1, 26) de l'homme modelé (*Gen.* 2, 7). Il gomme un certain nombre de détails qui pouvaient faire difficulté dans la présentation d'un monothéisme («Faciamus hominem...»). Analyse détaillée de cette page par M. PERRIN, *L'Homme antique...*, p. 414-415

autres pour son vêtement, et ceux qui ont de grandes forces pour l'aider dans le labeur de la terre : c'est pourquoi on les appelle animaux de labeur[1].

Création de l'homme

2. Une fois qu'il eut ainsi organisé toutes choses en un ordre admirable, il entreprit de préparer pour lui-même un royaume éternel et de procréer d'innombrables âmes, auxquelles il donnerait l'immortalité[2]. **3.** Alors il fit lui-même, pour lui-même, une statue douée de sens et intelligente, c'est-à-dire sur le modèle de sa propre image, dont rien ne surpasse la perfection : il façonna l'homme à partir du limon de la terre; et, s'il a été appelé homme, c'est parce qu'il a été fait à partir de l'*humus*[3]. **4.** D'ailleurs Platon dit que la silhouette humaine est *semblable à Dieu*[4]; la Sibylle également, qui dit :

«L'homme est une image de moi, douée de raison.»

Discussion de la présentation faite par les poètes

5. Sur ce modelage de l'homme, les poètes aussi ont transmis une tradition, déformée, certes, mais qui n'est pas fondamentalement différente[5]. En effet, ils ont dit que l'homme avait été fait par Prométhée, avec de l'argile. Ils ne se sont pas trompés sur le fait, mais sur le nom de l'artisan. **6.** En effet, ils n'avaient pas eu accès aux écrits de vérité; cependant, ils ont accueilli dans leurs poèmes l'enseignement transmis par les prédictions des prophètes et contenu dans le livre divin, mais

3. Sur le *topos,* cf. 2,10 et la note; sur l'étymologie, au confluent de Varron et de la *Genèse,* cf. M. PERRIN, *L'Homme antique...,* p. 410-411.

4. Pour ce passage, on n'a pas décelé d'intermédiaire entre Platon et Lactance : cf. M. PERRIN, «Le Platon de Lactance», dans *Lactance et son temps,* p. 223.

5. Sur le rôle prêté par Lactance aux poètes dans la transmission de la révélation, cf. notre *Lactance et la Bible...,* p. 56-57.

nione collecta et deprauata, ut ueritas a uulgo solet uariis
25 sermonibus dissipata corrumpi, nullo non addente aliquid ad quod audierat, carminibus suis comprehenderunt. Et hoc quidem inepte, quod tam mirabile tamque diuinum opificium homini dederunt. **7.** Quid enim opus fuit hominem de luto fingi, cum posset eadem ratione generari qua ipse
30 Prometheus ex Iapeto natus est? Qui, si fuit homo, generare hominem potuit, facere non potuit : de diis autem illum non fuisse poena eius in Caucaso monte declarat. **8.** Sed neque patrem eius Iapetum patruumque Titana quisquam deos nuncupauit, quia regni sublimitas penes
35 Saturnum solum fuit, per quam diuinos honores cum omnibus suis posteris consecutus est.

Multis argumentis hoc figmentum poetarum coargui potest. **9.** Factum esse diluuium ad perdendam tollendamque ex orbe terrae malitiam[f] constat inter omnes. Id
40 enim et philosophi et poetae scriptoresque rerum antiquarum loquuntur in eoque uel maxime cum prophetarum sermone consentiunt.

10. Si ergo cataclysmus ideo factus est ut malitia quae per nimiam multitudinem increuerat perderetur, quomodo
45 fictor hominis Prometheus fuit, cuius filium Deucalionem

24 a : *om.* *B* || 25 corrumpi : corrupit *P*[1] t *exp. alt. man.* || 26 ad : + id *B Br.* || audierat : -erunt *B* || comprehenderunt : -rent *V*[1] || 28 fuit : est *g V* || 33 eius : ipsius *R* || patruumque : patrumque *H* patruum *P* || titana : -am *B* -um *HM* || 34 nuncupauit : noncupauit *M* || 35 quam : quem *HM* || 36 omnibus [suis : *hinc den. inc.* *G*

Rg BG HM PV

38 ad perdendam... terrae : ad perdendam de terra *B*[1] ad tollendam perdendamq; ex orbe terrae *B*[3] || 39 constat : -et *V*[1] || omnes : homines *B* || id enim : idem enim *V* item enim *g* quidam enim *P* || 40 et[1] : *om.* *HM P* || 43 malitia : -am *HM*

f. Gen. 6, 5.17.

celui-ci avait été rassemblé à partir de fables et de croyances confuses, donc corrompu, comme c'est le cas habituellement pour la vérité, habituellement déformée par le peuple une fois qu'elle s'est répandue dans toutes sortes de conversations au cours desquelles il n'est personne qui n'ajoute quelque chose à ce qu'il avait entendu. Déformation stupide, en l'espèce, qui consista à attribuer à un homme une œuvre si admirable et si divine! **7.** Quel besoin y avait-il, en effet, qu'un homme fût fabriqué avec de l'argile, alors qu'il pouvait être engendré de la même façon que Prométhée lui-même était né de Japet? Si d'ailleurs celui-là était un homme, il pouvait engendrer un homme, mais il ne pouvait pas en faire un : or, son supplice sur le Caucase montre clairement qu'il n'était pas au nombre des dieux. **8.** D'ailleurs, jamais personne ne donna à son père Japet ni à son oncle Titan le titre de dieu, puisque la toute-puissance de la royauté ne se trouva jamais qu'entre les mains du seul Saturne, et que c'est grâce à elle que celui-ci a obtenu les honneurs divins, pour lui-même et pour sa descendance.

Le déluge

Cette invention des poètes peut être réfutée par de nombreux arguments. **9.** Tout le monde s'accorde à admettre qu'il y eut un déluge pour supprimer la méchanceté humaine et la faire disparaître du monde. Philosophes, poètes et antiquaires le disent et s'accordent parfaitement là-dessus avec le récit des prophètes.

Les déformations des poètes

10. Si donc cette inondation été provoquée pour détruire la méchanceté qui s'était développée parmi l'immense foule des hommes, comment Prométhée a-t-il pu être le fabricant de l'homme, puisqu'ils affirment en même temps que c'est son fils Deucalion qui fut sauvé à

idem ipsi ob iustitiam solum dicunt esse seruatum? Quomodo unus gradus et una progenies orbem terrae tam celeriter potuit hominibus implere? **11.** Sed uidelicet hoc quoque sic corruperunt ut illud superius, cum ignorarent
50 et quo tempore cataclysmus sit factus in terra et quis ob iustitiam meruerit genere humano pereunte seruari[g] et quomodo aut cum quibus seruatus sit : quae omnia propheticae litterae docent. Apparet ergo esse falsum quod de opificio Promethei narrant. **12.** Verum quia poetas dixe-
55 ram non omnino mentiri solere, sed figuris inuoluere et obscurare quae dicant, non dico esse mentitos, sed primum omnium Promethea simulacrum hominis formasse de molli ac pingui luto ab eoque primo natam esse artem statuas et simulacra fingendi, siquidem Iouis temporibus fuit, quibus
60 primum templa constitui et noui deorum cultus esse coeperunt. **13.** Sic ueritas fucata mendacio est et illud quod a Deo factum ferebatur, homini, qui opus diuinum imitatus est, coepit adscribi. Ceterum fictio ueri ac uiui hominis e limo Dei est[h]. **14.** Quod Hermes quoque
65 tradit, qui non tantum hominem ad imaginem Dei factum esse dixit a Deo, sed etiam illud explanare temptauit quam subtili ratione singula quaeque in corpore hominis membra formauerit, cum eorum nihil sit quod non tantumdem ad usus necessitatem quantum ad pulchritudinem ualeat.

FONTES : **14** *Corp. Herm.* t. 4 p. 109; *cf.* t. 1 p. 10; 62; t. 2 p. 308,20

47 tam : quam *P* || 50 terra : -â *B* || 51 meruerit : uoluerit *B* || genere : -ris *V* || seruari : saluari *g V* || 54 opificio : + idem *B* || poetas : -a *P*¹ || 56 primum : -o *HM* || 57 simulacrum hominis : *om.* *V*¹ || formasse : + sed R || 58 statuas : -a *P*¹ || et : sed *P* || 59 quibus : + et *HM* || 60 constitui : -it *M P* || 61 fucata : fugata *PV* || et : *om.* *B* || 64 e limo dei : eiusmodi *B*¹ eli modî *B*³ || est : *om.* *V*¹ || 64 quoque : quodque *HM* || 65 tradit : tradidit R *HM* || imaginem dei : + hermes... imaginem *denuo scr.* *V*¹ *del.* *V*² || factum : -us *P*¹ fictum *V* || 67 quaeque : quoque *PV*

cause de sa justice? Comment une seule génération et une seule famille a-t-elle pu si vite peupler le monde avec des hommes? **11.** Il est évident qu'ils ont également déformé cela comme tout ce qui précède, car ils ignoraient à quelle époque le cataclysme s'est produit sur la terre, et quel était l'homme qui avait mérité d'être sauvé grâce à sa justice alors que tout le genre humain périssait, et comment, et avec qui il avait été sauvé. Toutes choses que nous apprennent les écrits des prophètes. Il est donc évident que ce qu'ils racontent sur l'ouvrage de Prométhée est faux. **12.** Mais puisque j'ai dit que les poètes avaient l'habitude non pas de mentir complètement, mais d'envelopper de figures et d'obscurcir ce qu'ils disent, je ne dis pas qu'ils ont menti, mais que Prométhée est le premier de tous à avoir fabriqué une statue d'homme avec de l'argile souple et grasse, et à avoir donné naissance à l'art de modeler images et statues, car il a vécu à l'époque de Jupiter, où l'on a commencé à construire des temples et à instituer des cultes nouveaux pour les dieux. **13.** Ainsi la vérité a-t-elle été fardée par le mensonge, et ce qui, selon la tradition, avait été fait par Dieu, commença à être attribué à un homme qui avait imité l'ouvrage divin. Mais le modelage d'un homme vrai et vivant à partir de l'argile est un acte de Dieu. **14.** C'est ce que transmet aussi Hermès, qui non seulement a dit que l'homme avait été fait par Dieu, à l'image de Dieu, mais qui a également tenté de montrer selon quel plan ingénieux celui-ci a formé chacun des membres dans le corps de l'homme, étant donné que, parmi ceux-ci, il n'en est aucun qui n'ait sa valeur, tant au point de vue des besoins courants qu'au point de vue de la

g. Gen. 6, 9.22. || h. Gen. 2, 7.

70 **15.** Id uero etiam Stoici, cum de prouidentia disserunt, facere conantur et secutus eos Tullius pluribus quidem locis, sed tamen materiam tam copiosam et uberem strictim contingit. Quam ego nunc idcirco praetereo quia nuper proprium de ea re librum ad Demetrianum auditorem 75 meum scripsi.

16. Illud hoc loco praeterire non possum quod errantes quidam philosophi aiunt, homines ceteraque animalia sine ullo artifice orta esse de terra. Vnde illud est Vergilianum :

«uirumque

80 Ferrea progenies duris caput extulit aruis».

Et hi maxime in ea fuere sententia qui esse prouidentiam negant : nam Stoici animantium fabricam diuinae sollertiae tribuunt.

17. Aristoteles autem labore se ac molestia liberauit 85 dicens semper fuisse mundum : itaque et humanum genus et cetera quae in eo sunt initium non habere, sed fuisse semper ac semper fore. **18.** Sed cum uideamus singula quaeque animalia quae antea non fuerint esse incipere

FONTES : **16** VERG. *georg.* 2,340-341

70 disserunt : disputant disserunt *R* || 71 pluribus : plurimis *HM* || 73 contingit : -tigit *HM P* || quam : qua *G* || 74 ad : a P^1 || 75 meum : eum B^1 || 77 quidam philosophi : ~ *BG* || 78 artifice : -ci *G (ut uid.)* || de terra : *om.* *G* || illud est : illades B^1 *corr.* B^3 || est uergilianum : ~ *g V* est uerginianum *R* || 79 uirumque : *om.* *V* || 80 ferrea : terrea *g V Br.* terrae *P* cf. n. 4, p. 157 || 81 hi : hii *g G P* ii *Br.* || sententia : sentententia *G* || prouidentiam : -a *G* || 84 labore se : ~ *BG* || 85 fuisse : *hic des.* *G*
Rg B HM PV
et : *om.* *B* || 87 sed cum : ac B^1 *corr.* B^3 || uideamus : uidemus *B* || 88 fuerint : fuerunt *R B*

1. Lactance se place ici dans la descendance des textes hermétiques, mais sa phrase n'implique pas qu'il les ait connus directement. Ceux-ci semblent constituer, à ses yeux, les origines de la pensée : cf. 1,6,3 s.

2. Les passages de Cicéron auxquels pense Lactance sont indiqués au début du *De opificio* (1,12) : il s'agit essentiellement de CIC. *leg.* 1,9,27 ; *nat. deor.* 2,44,133 ; *rep.* 4,1. Sur ce passage, voir M. PERRIN, *L'Homme antique...*, p. 436-437.

beauté[1]. **15.** C'est ce que tentent aussi de faire les Stoïciens quand ils dissertent sur la Providence, et Tullius les a suivis en plusieurs passages, en s'efforçant toutefois de condenser étroitement une matière si copieuse et si abondante[2]. Pour ma part, je laisse cela de côté pour l'instant, car il n'y a pas longtemps que j'ai composé un ouvrage précisément sur ce sujet, à l'intention de mon disciple Démétrianus[3].

Contre Aristote, qui prétend que l'homme a toujours existé

16. Mais je ne veux tout de même pas laisser passer ici les propos de certains philosophes dans l'erreur, qui prétendent que les hommes et tout les autres vivants sont nés de la terre sans aucun artisan. D'où ce vers de Virgile :

«Et la race de fer des hommes a dressé sa tête au-dessus des durs guérets[4].»

Et ce sont surtout ceux qui nient la Providence qui sont de cet avis. Car les Stoïciens attribuent la fabrication des êtres vivants à la sollicitude divine.

17. Mais Aristote s'est libéré de cette difficulté embarrassante en déclarant que le monde a toujours existé : c'est pourquoi la race humaine et tous les êtres qui sont dans le monde n'ont pas eu de commencement, mais ont toujours existé et existeront toujours[5]. **18.** Mais puisque nous voyons que chaque être vivant, qui auparavant n'existait

3. Le *De opificio Dei,* édité dans cette collection par M. Perrin (*SC* 213-214).

4. Sur le texte retenu, cf. notre *Note sur le texte de VERG. georg. 2,341, AC* 43, 1971, p. 346-357; voir également les réserves d'A. GOULON, «Les citations...», dans *Lactance et son temps,* p. 125.

5. Ce que Lactance présente comme une citation d'Aristote n'est qu'un résumé très sommaire de ARIST. *cael.* 1,10 ou de *gen. anim.* 2,1 : l'intermédiaire est vraisemblablement CICÉRON (*ac.* 2,38,119; *Tusc.* 1,28,70).

et esse desinere, necesse est totum genus aliquando
90 esse coepisse et aliquando desiturum esse, quia coepit.
19. Omnia enim tribus temporibus contineri necesse est, praeterito, praesenti, futuro. Praeteriti est origo, praesentis substantia, futuri dissolutio. **20.** Quae omnia in singulis hominibus apparent : et incipimus enim cum nascimur, et
95 sumus cum uiuimus, et desinimus cum interimus. Vnde etiam tres Parcas esse uoluerunt, unam quae uitam hominis ordiatur, alteram quae contexat, tertiam quae rumpat ac finiat. **21.** In toto autem genere hominum quia solum praesens tempus apparet, ex eo tamen et praeteritum, id est
100 origo, colligitur, et futurum, id est dissolutio. **22.** Nam quoniam est, apparet aliquando coepisse – esse enim nulla res sine exordio potest –, et quia coepit, apparet quandoque desiturum; nec enim potest id totum esse immortale quod ex mortalibus constat. **23.** Nam, sicut uniuersi per
105 singulos interimus, fieri potest ut aliquo casu omnes simul, uel sterilitate terrarum, quae accidere particulatim solet, uel pestilentia ubique diffusa, quae singulas urbes aut regiones plerumque populatur, uel incendio in orbem immisso, quale iam fuisse sub Phaethonte dicitur, uel
110 diluuio aquarum, quale sub Deucalione traditur, cum praeter unum hominem genus omne deletum est. **24.** Quod diluuium si casu accidit, profecto potuit accidere ut et ille unus qui superfuit interiret. Si autem diuinae prouidentiae nutu, quod negari non potest, ad reparandos
115 homines reseruatus est, apparet in Dei potestate esse uel

89 desinere : sinere *B*[1] -sinire *M* || 90 desiturum : desinit utrumque *P* || 94 et : *om.* *B P* || uitam : -a *V*[1] || 98 toto : -tum *V*[1] || 100 nam : quam R || 103 desiturum : esse desituram R || 106 accidere : + uel *P* || 107 quae : qua *B* || aut : ac R *HM* cf. p. 219 || 108 orbem : -e *HM* || 109 quale : -em *HM* || iam : + in orbe *B*[1] *corr.* *B*[3] || sub : in *B*[1] *corr.* *B*[3] || 113 unus : iustus *B*[1] *corr.* *B*[3] || nutu : datur *B*

pas, a un commencement et une fin, il est nécessaire que l'ensemble de l'espèce ait commencé à exister et doive finir un jour, puisqu'elle a commencé. **19.** En effet, tout doit nécessairement être inscrit dans trois temps, le passé, le présent et le futur. Au passé appartient l'origine, au présent la substance, au futur la disparition. **20.** Et tout cela se retrouve pour chaque individu : nous commençons quand nous naissons, nous existons quand nous vivons, et nous finissons quand nous mourons. C'est pourquoi également ils ont voulu que les Parques fussent au nombre de trois, l'une qui ourdisse le fil de la vie humaine, l'autre qui le tisse, la troisième qui le brise et lui donne une fin. **21.** Dans le cas de l'ensemble de l'espèce humaine, on ne peut voir que l'époque actuelle, cependant on en déduit qu'il y a eu un passé, c'est-à-dire une origine, et qu'il y aura un futur, c'est-à-dire une disparition. **22.** Car, puisqu'elle est, il est évident qu'elle a eu un commencement – aucune chose, en effet, ne peut exister sans avoir une origine –, et, puisqu'elle a commencé, il est évident qu'elle finira un jour; en effet, ce qui est constitué d'éléments mortels ne peut être un ensemble immortel. **23.** Car, de même que nous mourons tous, chacun à notre tour, il peut arriver que nous mourions tous à la fois dans quelque catastrophe, soit que toutes les terres deviennent stériles, ce qui se produit parfois ici ou là, soit que se répande partout une des épidémies qui ne dépeuplent habituellement qu'une ville ou un pays à la fois, soit que se propage dans tout le monde un incendie semblable à celui qui, dit-on, se produisit au temps de Phaéton, ou un déluge analogue à celui qui eut lieu à l'époque de Deucalion, quand toute l'espèce humaine fut détruite, à l'exception d'un seul homme. **24.** Car, si ce déluge s'est produit par hasard, il aurait bien pu arriver que le seul homme qui a survécu mourût aussi. Mais si c'est par la volonté de la Providence, ce que l'on ne peut nier, qu'il a été mis en réserve pour restaurer le genre humain, il est

uitam uel interitum generis humani. Quod si potest occidere in totum, quia per partes occidit, apparet aliquando esse ortum, et fragilitas, ut initium, sic declarat et terminum. **25.** Quae si uera sunt, non poterit defendere
120 Aristoteles quominus habuerit et mundus ipse principium. Quod si Aristoteli Plato et Epicurus extorquent, et Platoni et Aristoteli qui semper fore mundum putauerunt, licet sint eloquentes, ingratis tamen idem Epicurus eripiet quia sequitur ut habeat et finem. **26.** Sed haec in ultimo libro
125 pluribus : nunc ad hominis originem recurramus.

CAPVT XI

1. Aiunt certis conuersionibus caeli et astrorum motibus maturitatem quamdam extitisse animalium serendorum, itaque terram nouam semen genitale retinentem folliculos ex se quosdam in uterorum similitudinem protu-
5 lisse : de quibus Lucretius :

«Crescebant uteri terrae radicibus apti»;

eosque cum maturuissent, natura cogente ruptos animalia tenera profudisse. **2.** Deinde terram ipsam umore quo-

FONTES : 1 LVCR. 5,808

116 occidere : accidere *HM* || 117 occidit : accidit *HM* || 118 ut : et *B*¹ *corr.* *B*³ || declarat : declararet *HM* || 119 poterit : potest *R* || 123 idem epicurus : ~ *HM* || eripiet : docet *B* eripuit et *R* || 124 ut : et *P* || 125 pluribus : + exsequemur *B* || recurramus : percurramus *P*

1 certis conuersionibus : ceteris conuersationibus *B* || 4 similitudinem : -e *g V* || 6 terrae : -a *g P* -am *V Br.* cf. p. 219 || 7 maturuissent maturassent *R* maturauissent *g* maturissent *HM* || 8 tenera : temera *HM*

1. Ce passage (depuis le § 24) est recueilli par H. Usener (*Epicurea*, *a.* *frg.* 304, p. 214) avec les témoignages concernant l'attitude d'Épicure sur le problème de la fin du monde. G. Arrighetti ne lui fait pas place dans son édition (Torino 1960).

évident que la vie ou la mort de l'espèce humaine est au pouvoir de Dieu. Et si celle-ci peut disparaître totalement, puisqu'elle disparaît élément par élément, il est évident qu'elle est née un jour, et sa fragilité, tout en montrant qu'elle a eu un commencement, montre également qu'elle aura un terme. **25.** Si tout cela est vrai, Aristote ne pourra pas soutenir que le monde non plus n'a pas eu de commencement. Et si Platon et Épicure arrachent cet aveu à Aristote, parallèlement Platon et Aristote, qui pensent que le monde existera toujours, devront, malgré leur éloquence, accorder malgré eux à Épicure qu'il s'ensuit que celui-ci doit également avoir une fin[1]. Mais nous en dirons davantage dans le dernier livre[2]. Pour l'instant, revenons-en à l'origine de l'homme.

CHAPITRE XI

Contre les tenants de la «génération spontanée»

1. Ils prétendent que, grâce à certaines révolutions du ciel et à certains mouvements des astres, il s'est produit un moment de maturité favorable pour semer des êtres vivants[3] : dans ces conditions, la terre toute neuve, qui contenait une semence féconde, a produit un certain nombre de poches semblables à des matrices, dont Lucrèce dit :

«Il poussait des matrices accrochées à la terre par des racines.»

Venues à maturité, elles se brisaient sous la poussée de la nature et produisaient de fragiles être vivants. **2.** Puis la terre elle-même a produit en abondance une sorte de

2. Cf. *inst.* 7,14,5 s.

3. Les Épicuriens : cf. en particulier LVCR. 5,783-820; voir également CIC. *leg.* 1,8,24.

dam qui esset lacti similis exuberasse eoque alimento
10 animantes esse nutritas. – Quomodo igitur uim frigoris uel caloris ferre aut uitare potuerunt, aut omnino nasci, cum sol exureret, frigus adstringeret? – Non erant, inquiunt, in principio mundi, nec hiems, nec aestas, sed perpetua temperies et uer aequabile. **3.** – Cur ergo nihil horum
15 fieri etiamnunc uidemus? – Quia semel fieri necessarium fuit ut animalia nascerentur; postquam uero esse coeperunt, concessa his facultate generandi et terra parere desiit et temporis condicio mutata est.

4. O quam facile est redarguere mendacia! Primum,
20 quod nihil potest esse in hoc mundo quod non sic permaneat ut coepit. Nec enim sol et luna et astra tunc non erant, aut cum essent, meatus non habebant, ac non diuina moderatio, quae cursus eorum temperat et gubernat, cum ipsis simul coeperat. **5.** Deinde, quod si ita sit ut dicunt,
25 esse *prouidentiam* necesse est, et in id ipsum incidunt quod maxime fugiunt. **6.** Nondum enim natis animalibus aliquis utique *prouidit* ut nascerentur, ne orbis terrae desertus atque incultus horreret. Vt autem de terra sine officio parentum nasci possent, necesse est magna ratione esse
30 *prouisum;* deinde, ut umor ille concretus e terra in uarias imagines corporum fingeretur, item ut e folliculis quibus tegebantur accepta uiuendi sentiendique ratione tamquam ex aluo matrum profunderentur, mira inextricabilisque *prouisio* est. **7.** Sed putemus id quoque casu accidisse, illa

FONTES : **2** *Cf.* LVCR. 5,826-836 **3** *Cf.* LVCR. 5,793-796; 826-836

9 lacti : -e *HM* || 10 frigoris uel caloris : c. uel f. *R* || 12 erant : erat *R HM* cf. p. 219 || inquiunt : -uit *G* || 13 nec[1] : *om.* *H V* || nec[2] : aut *H* || sed : *om.* *P* || 14 uer : uir *P* || 15 semel : + aiunt *B* || 24 coeperat : -erit *R B HM V* || 25 est : esse *B* || 26 fugiunt : faciunt *V*[1] || 26 enim : *om.* *B* || 2[…] ne : *om.* *V*[1] || 30 umor : -ori *P*[1] || e : et *P* || 31 item : iterum *P* || 3[…] profunderentur : funderentur *B* || inextricabilisque : inexplicabilisque *R HM PV*

1. Lactance pose cette objection en s'inspirant de LVCR. 5,806.818

sécrétion semblable à du lait, et, grâce à cet aliment, tous les êtres vivants furent nourris. – Comment, dans ces conditions, ont-ils pu supporter ou éviter la morsure du froid ou de la chaleur, ou simplement venir au monde quand le soleil brûlait, ou quand le froid raidissait toutes choses? «Il n'y avait, disent-ils, au commencement du monde, ni hiver ni été, mais une température constante et un printemps régulier[1].» **3.** Pourquoi, alors, ne voyons-nous plus rien de cela se produire encore de nos jours? – Parce qu'il était nécessaire que cela se produisît une fois, pour que les animaux naquissent; mais une fois qu'ils ont commencé à exister, comme ils avaient reçu la possibilité d'engendrer, la terre cessa d'être mère, et le climat se modifia.

4. Comme il est facile de réfuter des mensonges! D'abord, aucune chose ne peut exister, en ce monde, qui ne demeure toujours telle qu'elle a commencé. On ne peut dire, en effet, que le soleil, la lune et les étoiles n'existaient pas encore, ou bien que, s'ils existaient, ils n'avaient pas de cycle, et que l'organisation divine qui règle et dirige leur course n'avait pas commencé en même temps qu'eux. **5.** Ensuite, s'il en va comme ils le disent, il existe nécessairement une *Providence,* et ils tombent sur ce qu'ils cherchaient le plus à éviter. **6.** En effet, quand les animaux n'étaient pas encore nés, il y a bien eu quelqu'un pour *pourvoir* à leur naissance, de façon que la terre ne fût pas un désert inculte et effrayant. Pour qu'ils pussent naître de la terre sans intervention de parents, il a nécessairement fallu qu'une grande intelligence y *pourvût;* puis, pour que cette concrétion visqueuse née de la terre prenne la forme de corps de toutes sortes, et pour que ceux-ci, tirant leur vie et leurs sens des membranes qui les protégeaient, se développent comme s'ils sortaient du sein d'une mère, il faut une capacité de *prévoir* d'une étonnante complexité. **7.** Mais admettons que cela aussi soit dû au hasard; tout ce qui suit

35 certe quae sequuntur fortuita esse non possunt, ut terra continuo lacte manaret, ut aeris temperies esset aequalis. **8.** Quae si constat idcirco esse facta ut animalia recens edita uel haberent alimentum uel non haberent periculum, necesse est ut aliquis diuina nescio qua ratione *prouiderit*. 40 Quis autem potest *prouidere* nisi Deus?

9. Videamus tamen an id ipsum quod dictitant fieri potuerit, ut homines nascerentur e terra. Si consideret aliquis quamdiu et quibus modis educetur infans, intelleget profecto non potuisse terrigenas illos pueros sine ullo 45 educatore nutriri. **10.** Fuit enim necesse compluribus mensibus iacere proiectos, donec confirmatis neruis mouere se locumque mutare possent : quod uix intra unius anni spatium fieri potest. **11.** Iam uide utrumne infans eodem loco et eodem modo quo effusus est iacere per 50 multos menses ualuerit ac non et umore illo terrae, quem alimenti gratia ministrabat, et sui corporis purgamentis in unum mixtis obrutus corruptusque moreretur? **12.** Itaque nullo modo fieri potest quin ab aliquo fuerit educatus : nisi forte animalia omnia non tenera nata sunt, 55 sed excreta, quod ut dicerent numquam illis uenit in mentem. **13.** Omnis igitur illa ratio impossibilis et uana est, si tamen ratio dici potest qua id agitur, ut nulla sit ratio. Qui enim dicit omnia sua sponte esse nata nihilque

FONTES : 7 *Cf.* LVCR. 5,809-819

36 manaret : manarat B^1 || 37 constat : -ant B^1 *corr.* B^3 || esse facta : ~ R *P* || ut : *om.* R^1 || recens edita : recensendi *B* || 38 alimentum : + uel non haberent alimentum B^1 *exp.* B^3 || 39 nescio qua : *om.* *HM* || 41 tamen : ergo *B* || an id : *om.* B^1 *corr.* B^3 || dictitant : iactant *HM* || 42 si : *om.* *P* || 43 quamdiu : diu B^1 || infans : *om.* B^1 *corr.* B^3 + hoc *B* + sane R || 44 potuisse : -isset V^1 || 45 fuit : fuisset *HM* || compluribus : cum pluribus *V* || 46 proiectos : eiectos *B* || confirmatis neruis : -ti -ui B^1 *corr.* B^3 || 47 unius : *om.* *B* || 48 anni : -is P^1 || 48 iam : *om.* *B* || infans : + in *HM* || eodem loco et : *om.* *P* || 49 effusus : fusus *B* || per multos menses : permultis mensibus *B* || 51 quem : quod *B* *PV* || gratia : -â g

ne doit certainement rien au hasard : que la terre ait produit sans cesse du lait, que la température de l'air soit restée constante. **8.** Or, s'il est établi que cela s'est produit pour que les être vivants qui venaient d'être mis au jour trouvent une alimentation ou ne se trouvent pas en danger, il faut nécessairement que quelqu'un l'ait *prévu,* par je ne sais quelle puissance divine. Or, qui peut *prévoir,* sinon Dieu?

9. Examinons toutefois si cela même qu'ils répètent sans cesse a pu se produire, c'est-à-dire que des hommes naissent de la terre. Si on considère pendant combien de temps et avec quels soins on élève un enfant, on se rendra compte que ces enfants nés de la terre n'ont certainement pas pu s'alimenter sans que quelqu'un ne les élève. **10.** Car ils sont nécessairement restés étendus pendant plusieurs mois, jusqu'à ce que leurs membres devenus solides leur permettent de se mouvoir et de changer de place : ce qui peut déjà difficilement se faire en l'espace d'un an. **11.** Alors, voyons! le bébé sera-t-il capable de rester plusieurs mois étendu au même endroit et dans la même position que celle où il aura émergé? Et ne mourra-t-il pas enseveli et empoisonné par le mélange de la sécrétion que la terre lui fournissait pour s'alimenter, et des excréments de son propre corps? **12.** Dès lors, il est impossible qu'il n'y ait pas eu quelqu'un pour les élever. A moins que tous les êtres vivants ne soient pas nés flasques, mais endurcis, ce que ceux-ci n'ont jamais eu l'idée de dire. **13.** Donc, tout leur raisonnement est impossible et vain, à supposer qu'on puisse appeler raisonnement ce qui est conduit sans aucune raison. Car, celui qui prétend que tout est né spontanément et qui n'attribue rien à la divine Providence,

ministrabat : -aret P[1] || 54 tenera : et terra *HM* || 55 excreta : execreta *P*[1] ex se creata *HM* || 57 ut : *om.* *HM* || 58 dicit : dici *V*[1]

diuinae prouidentiae tribuit, hic profecto rationem non
60 adserit, sed euertit. **14.** Quodsi neque fieri quicquam sine ratione neque nasci potest, apparet esse diuinam prouidentiam, cuius est proprium quod dicitur ratio.

Deus igitur rerum omnium machinator fecit hominem. **15.** Quod Cicero, quamuis expers caelestium litterarum,
65 uidit tamen, qui libro *De legibus* primo hoc idem tradidit quod prophetae. Cuius uerba subieci : **16.** « Animal hoc prouidum, sagax, multiplex, acutum, memor, plenum rationis et consilii, quem uocamus hominem, praeclara quadam condicione generatum esse a supremo Deo. Solum
70 est enim ex tot animantium generibus atque naturis particeps rationis et cogitationis, cum cetera sint omnia expertia ». **17.** Videsne hominem, quamuis longe a ueritatis notitia remotum, tamen, quoniam imaginem sapientiae tuebatur[a], intellexisse non nisi a Deo hominem
75 potuisse generari ?

18. Sed tamen diuinis opus est testimoniis, ne minus humana sufficiant. Sibylla hominem Dei opus esse testatur :

Ὅς μόνος ἐστὶ θεὸς κτίστης, ἀκράτητος ὑπάρχων
80 Αὐτὸς δ' ἐστήριξε τύπον μορφῆς μερόπων τε

FONTES : **16** CIC. *leg.* 1,7,22 **18** *Orac. Sib. frg.* 5 (Geffcken p. 232)

62 est : *om.* *B*[1] || 63 deus : *hinc inc. in g cap. XIII* || omnium : *om.* *P* || 64 quod... subieci : profetis eius uerba sunt subiecta *B* || prophetae : -ta *HM* || 69 esse : *om.* *H*[1] || 75 potuisse : *om.* *V*[1] || 76 sed : et *HM* || 77 sibylla : -am *B* || 79 μονος : ΜΟΝΟΝ *P* || 80 τυπον : *om.* *P* || μεροπων τε : *om.* *g* || 81 γενετης : ΓΕΝΕΟC *B* ΓΕΝΕΗC *Rg PV*

a. Gen. 1, 26-27 ; 2, 7.

1. Lactance déplace la pointe du texte de Cicéron : il est destiné à montrer que l'homme possède la raison qui l'apparente à Dieu ;

celui-là, en tout cas, ne soutient pas la raison, mais la renverse. **14.** Or, si rien ne peut se faire ni naître sans raison, il est évident qu'il y a une Providence divine, qui possède en propre ce qu'on appelle raison.

Retour au récit de la création : aveu de Cicéron

C'est donc Dieu, fabricateur de toutes choses, qui a fait l'homme. **15.** Et Cicéron lui-même, bien qu'il n'ait pas connu les écrits célestes, s'en est pourtant aperçu, lui qui, dans le premier livre des *Lois,* donne le même enseignement que les prophètes. J'ai d'ailleurs transcrit ci-dessous ses paroles : **16.** « Cet être apte à prévoir et à raisonner, complexe, doué de pénétration et de mémoire, plein de raison et d'intelligence, que nous appelons l'homme, a été créé dans une situation exceptionnelle par la divinité suprême. Il est, en effet, le seul parmi tant d'êtres de toute espèce et de toute nature qui ait part à la raison et à la réflexion, alors que tous les autres en sont privés[1]. » **17.** Te rends-tu compte que cet homme, bien qu'il fût resté fort éloigné de connaître la vérité, a pourtant compris, parce qu'il voyait un reflet de sagesse, que l'homme n'a pas pu être engendré autrement que par Dieu ?

Témoignages « divins »

18. Nous avons toutefois besoin de témoignages divins, de crainte que ceux qui viennent de l'homme ne suffisent pas. La Sybille affirme que l'homme est l'œuvre de Dieu,

« celui qui est le Dieu unique, créateur, que nul ne peut dominer ; il a matérialisé l'empreinte de son image, et il a

Lactance en fait une reconnaissance de la création de l'homme par Dieu. Voir M. PERRIN, *L'Homme antique...,* p. 396.

Αὐτὸς ἔμιξε φύσιν πάντων, γενέτης βιότοιο.

Eadem sanctae litterae continent.

19. Deus ergo ueri patris officio functus est, ipse corpus effinxit, ipse animam qua spiramus infudit[b], illius est totum
85 quidquid sumus. **20.** Quomodo id fecerit si nos oporteret scire, docuisset, sicut docuit cetera quae cognitionem nobis et pristini erroris et ueri luminis adtulerunt.

CAPVT XII

1. Cum ergo marem primum ad similitudinem suam finxisset[a], tum etiam feminam configurauit ad ipsius hominis effigiem[b], ut duo inter se permixti sexus propagare subolem possent et omnem terram multitudine
5 opplere[c]. **2.** In ipsius autem hominis fictione illarum duarum materiarum quas inter se diximus esse contrarias, ignis et aquae, conclusit perfecitque rationem.

3. Ficto enim corpore, inspirauit ei animam de uitali fonte spiritus sui[d] qui est perennis, ut ipsius mundi
10 ex contrariis constantis elementis similitudinem gereret. Constat enim ex anima et corpore, id est quasi ex caelo et

83 ipse : -a *R* || 84 qua : quam *HM* || illius : illud *B*¹ || 85 fecerit : effecerit *V*

1 marem : -e *H* || 3 permixti : mixti *B* || 4 terram multitudine : multitudinem terrae *g* || 5 opplere : operae *H M*¹ (operire *M*²) || 5 in : *om.* *B*¹ *P*¹ || fictionem : finctione *HM* || 7 aquae : -a *B*¹ *corr.* *B*³ || 8 inspirauit : spirauit *g HM PV* || ei : *om.* *HM* || 10 elementis : -ti *H P*

b. Gen. 2, 7.

a. Gen. 1, 26. || b. Gen. 2, 18.22. || c. Gen. 1, 28. || d. Gen. 2, 7.

1. Ces vers constituent un fragment isolé (Geffcken, p. 232-233) qui a été intégré dans le tardif *Prologue* aux *Oracula Sibyllina* (Geffcken, p. 5,98-100).

2. Sur cette limitation apportée à la connaissance de l'homme, cf. 2,8,70.

composé la nature de tous les êtres mortels, lui le père de la vie[1]. »

Les lettres saintes contiennent la même chose.

Conclusion et transition

19. Dieu donc a joué le rôle d'un véritable père, il a lui-même fabriqué le corps, il a lui-même insufflé l'âme par laquelle nous respirons ; c'est de lui que vient tout ce que nous sommes. **20.** Comment l'a-t-il fait ? S'il était nécessaire que nous le sachions, il nous l'aurait révélé, tout comme il nous a révélé les autres choses qui nous ont apporté la connaissance de l'erreur ancienne et de la vraie lumière[2].

CHAPITRE XII

Homme et femme

1. Après avoir fait d'abord le mâle à sa propre ressemblance, il fabriqua ensuite la femme sur le modèle de l'homme lui-même, afin que les deux sexes, en s'unissant l'un à l'autre, pussent propager leur espèce et en répandre la multitude sur toute la terre. **2.** C'est précisément au cours de cette fabrication de l'homme qu'il organisa et paracheva l'assemblage de ces deux éléments que nous avons dit s'opposer l'un à l'autre, l'eau et le feu[3].

Insufflation de l'âme

3. En effet, une fois le corps fabriqué, il lui insuffla une âme, issue de la source vitale et pérenne de son esprit, pour que, formé de deux éléments contraires, il reproduisît précisément l'image du monde. Car il est fait d'une âme et d'un corps, c'est-à-dire, en quelque sorte, de

3. Cf. *supra* 9,19 s.

terra, quandoquidem anima qua uiuimus uelut e caelo oritur a Deo, corpus e terra, cuius e limo diximus esse formatum.

15 **4.** Empedocles, quem nescias utrumne inter poetas an inter philosophos numeres, quia de rerum natura uersibus scripsit, ut apud Romanos Lucretius et Varro, quattuor elementa constituit, ignem, aerem, aquam, terram, fortasse Trismegistum secutus, qui nostra corpora ex his quattuor 20 elementis constituta esse dixit a Deo : **5.** habere namque in se aliquid ignis, aliquid aeris, aliquid aquae, aliquid terrae, et neque ignem esse, neque aerem, neque aquam, neque terram. Quae quidem falsa non sunt : nam terrae ratio in carne est, umoris in sanguine, aeris in spiritu, ignis 25 in calore uitali. **6.** Sed neque sanguis a corpore secerni potest sicut umor a terra, neque calor uitalis a spiritu sicut ignis ab aere : adeo rerum omnium duo sola reperiuntur elementa, quorum omnis ratio in nostri corporis fictione conclusa est.

30 **7.** Ex rebus ergo diuersis ac repugnantibus homo factus est, sicut ipse mundus, **ex bono et malo** ex luce ac tenebris, ex uita et morte : quae duo inter se pugnare in homine praecepit, ut si anima superauerit quae oritur ex Deo, sit

FONTES : **4** *Cf.* QVINT. *inst.* 1,4,4 **4-5** *Corp. Herm.* t. 3 p. 4

12 e : *om. HM* || 13 a deo : e caelo *R* || 14 formatum : formâ tû *R* || 16 inter (philosophos) : hêt *M* || 18 ignem : id est ignem *B P* || 20 esse dixit : ~ *B* || 21 in se : *om.* *V*[1] || 24 est : + et *HM* || 25 secerni : separari *B* || 26 a[2] : ab *B* || 31 ipse : -i *H* || malo : cf. p. 16

1. Cf. *supra* 10,3.
2. QUINTILIEN (*inst.* 1,4,4) réunit également ces trois écrivains dans une phrase où il recense « ceux qui ont exposé en vers les préceptes de la sagesse » ; il s'agissait sans doute d'une *quaestio* scolaire. Si les deux premiers sont bien connus, le troisième n'est sans doute pas le polygraphe, mais P. Terentius Varro Atacinus, poète de l'époque d'Auguste.

ciel et de terre, puisque l'âme qui nous anime vient, pour ainsi dire, du ciel, en venant de Dieu, et notre corps vient de la terre, du limon de laquelle nous disons qu'il a été modelé[1].

Le recours à deux éléments

4. Empédocle – on ne sait s'il faut le compter parmi les poètes ou parmi les philosophes, puisque c'est en vers qu'il a fait un traité *Sur la Nature,* comme, chez les Romains, Lucrèce et Varron –, a distingué quatre éléments, le feu, l'air, l'eau et la terre[2], peut-être à la suite de Trismégiste, qui a dit que nos corps ont été formés par Dieu à partir de ces quatre éléments : 5. de fait, ils contiennent en eux quelque chose du feu, quelque chose de l'air, quelque chose de l'eau, quelque chose de la terre, et ils ne sont ni feu, ni air, ni eau, ni terre. Cela n'est pas faux : en effet, l'élément terrestre se trouve dans la chair, l'eau dans le sang, l'air dans le souffle, le feu dans la chaleur vitale. **6.** Mais on ne peut séparer le sang du corps comme on sépare l'eau de la terre, ni la chaleur vitale de l'esprit, comme on le fait pour l'air et le feu : tant il est vrai que, de tous ces éléments, on en trouve seulement deux dont la substance entière se trouve utilisée pour la fabrication de notre corps[3] !

Cette dualité explique la mort

7. Donc, c'est à l'aide d'éléments différents et opposés que l'homme a été fait, tout comme le monde, lui aussi, a été fait **de bien et de mal,** de lumière et de ténèbres, de vie et de mort. Et (Dieu) a commandé que ces deux éléments se combattent au sein de l'homme : de la sorte si l'âme, qui tire son origine de Dieu, l'emporte, il

3. Sur la mise en œuvre du texte hermétique dans cette page, cf. M. PERRIN, *L'Homme antique...,* p. 260-262.

immortalis et in perpetua luce uersetur, si autem corpus
35 uicerit animam dicionique subiecerit, sit in tenebris sempiternis et in morte. **8.** Cuius non ea uis est ut iniustas animas extinguat omnino, sed ut puniat in aeternum. Eam poenam *mortem secundam* nominamus[e], quae est et ipsa perpetua sicut et immortalitas. **9.** Primam sic definimus :
40 mors est naturae animantium dissolutio, uel ita : mors est corporis animaeque seductio; secundam uero sic : mors est aeterni doloris perpessio, uel ita : mors est animarum pro meritis ad aeterna supplicia dammatio. Haec mutas pecudes non adtingit, quarum animae non ex Deo cons-
45 tantes, sed ex communi aere, morte soluuntur.

10. In hac igitur societate caeli atque terrae, quorum effigies expressa est in homine, superiorem partem tenent ea quae sunt Dei, anima scilicet quae dominium corporis habet, inferiorem autem ea quae sunt diaboli, corpus
50 utique, quod, quia terrenum est, animae debet esse subiectum sicut terra caelo. **11.** Est enim quasi uasculum, quo tamquam domicilio temporali spiritus hic caelestis utatur. Vtriusque officia sunt ut hoc quod est ex caelo et Deo imperet, illud uero quod ex terra est et
55 diabolo seruiat.

34 in perpetua : ~ *HM* || 36 est : *om. HM* || ut : *om.* V^1 || 39 et : *om. HM* || primam : -um *V* || 40 mors... seductio : *om. HM* || 41 seductio : dissolutio *g* || secundam : -a *g HM* || uero... uel ita : *om. HM* || 44 constantes : constant *HM P* || ex : de *B* || 46 hac : has *B* || 47 homine : -em *B* || 48 ea quae : eaque B^1 *corr.* B^3 *H* || anima : -ae *B* -as *H* || dominium : dominum *B* || 50 utique : que V^1 || 52 temporali : -is HM^1 || hic : hoc *B* || 54 imperet : -at M^1 + et *V* || 54 est (et diabolo) : *om. g B PV Br. uide* Heck p. 183

e. Matth. 25, 46; Apoc. 2, 11.

1. L'expression *mors secunda* vient de l'*Apocalypse* (2,11), où elle désigne la punition éternelle de l'âme du pécheur. Il semble que, pour Lactance, les corps soient également atteints par cette *mors secunda*. Sur la fortune de cette expression, cf. J.-C. PLUMPE, «Mors secunda», dans

sera immortel et vivra dans la lumière éternelle, tandis que si le corps domine et soumet l'âme à son emprise, il sera dans les ténèbres éternelles et dans la mort. **8.** Car celle-ci a la faculté, non pas de faire totalement disparaître les âmes injustes, mais de les punir pour l'éternité. Nous appelons cette peine la *seconde mort*[1], et, tout comme l'immortalité, elle n'a pas de fin. **9.** Nous définissons la première mort en ces termes : la mort est la dissolution des êtres vivants de la nature ; ou encore : la mort est la séparation de l'âme et du corps ; pour la seconde : la mort consiste à endurer une douleur éternelle ; ou encore : la mort est une condamnation des âmes, en raison de leurs crimes, à d'éternels supplices. Cette dernière ne touche pas les bêtes brutes, dont les âmes, qui ne viennent pas de Dieu, mais simplement de l'air, sont détruites par la mort.

Places respectives de l'âme et du corps

10. Donc, dans cet assemblage du ciel et de la terre, dont l'image a été reproduite chez l'homme, le rôle supérieur est tenu par ce qui est de Dieu, c'est-à-dire l'âme, qui a pouvoir sur le corps ; le rôle inférieur est tenu par ce qui est du diable, le corps[2], qui, parce qu'il est fait de terre, doit être soumis à l'âme comme la terre l'est au ciel. **11.** Il est, en effet, une sorte de vase qui sert pour ainsi dire de domicile temporel à cet esprit céleste. Et chacun a ses fonctions : ce qui vient du ciel et de Dieu commande, ce qui vient de la terre et du diable est à

mélanges J. de Ghellinck, Gembloux 1951, p. 387-403 ; G. BARDY, éd. de AVG. *ciu. BA* 35, p. 526.

2. Cette affirmation peut sembler mal accordée avec celle de la création de l'homme par Dieu, rappelée quelques lignes plus haut. En fait, Lactance parle ici simplement d'une «parenté» entre le corps et le diable, et ne dit nullement que ce soit le diable qui ait *créé* le corps. Sur cette «imprudence de langage», cf. M. PERRIN, *L'Homme antique...,* p. 433.

12. Quod quidem non fugit hominem nequam Sallustium, qui ait : « Sed nostra omnis uis in animo et corpore sita est : **13.** animi imperio, corporis seruitio magis utimur. » Recte, si ita uixisset ut locutus est. **14.** Seruiuit 60 enim foedissime uoluptatibus suamque ipse sententiam uitae prauitate dissoluit. Quodsi anima ignis est, ut ostendimus, in caelum debet eniti sicut ignis, ne exstinguatur, hoc est ad immortalitatem quae in caelo est : et sicut ardere ac uiuere non potest ignis, nisi aliqua pingui materia 65 teneatur in qua habeat alimentum, sic animae materia et cibus est sola iustitia, qua tenetur ad uitam.

15. Post haec Deus hominem qua exposui ratione generatum posuit in Paradiso, id est in horto fecundissimo et amoenissimo[f] : quem in partibus orientis omni genere ligni 70 arborumque conseuit, ut ex earum uariis fructibus aleretur expersque omnium laborum Deo patri summa deuotione seruiret. **16.** Tum dedit ei certa mandata, quae si obseruasset, immortalis maneret, si transcendisset, morte adficeretur. Id autem praeceptum fuit ut ex arbore una, quae

FONTES : **12** SALL. *Cat.* 1,2

57 qui ait : *om.* B^1 qui *add.* B^3 || 60 foedissime : -is *g V Br.* || 61 ostendimus : -di *P* || 63 et : nam *B* || 64 nisi : + in *B* || 65 teneatur : teneat V^1 || 66 qua : quae HM^1 || 67 qua exposui : quâ exposuit *HM* || deus : *hinc inc. in g capit XIV* || 70 fructibus : fetibus *R* || 73 transcendisset : transgressisset B^1 transgressus esset B^2

f. Gen. 2, 8-9.

1. Surpris en flagrant délit d'adultère par Annius Milon, Salluste avait été battu de verges et avait dû payer au mari une coquette somme d'argent (GELL. 17,18). L'anecdote étayait des accusations de mauvaise conduite si plaisamment en contraste avec le ton de ses *Prologues* que leur rapprochement devint presque un *topos*. Certains commentateurs pensaient même retrouver chez les poètes des allusions à sa conduite : ceux d'HORACE lui appliquent les vers de *sat.* 1,2,41 s.; Servius pense qu'il est visé dans *Aen.* 6,612. On sait aussi qu'au cours de son pro-consulat en Afrique il pressura ses administrés de si belle manière qu'il ne dut qu'à la protection de César de n'être pas condamné.

son service. **12.** Et cela n'échappe pas à cette canaille de Salluste[1], qui dit : « Par ailleurs, toute notre force est répartie entre une âme et un corps : **13.** nous réservons plutôt à l'âme le commandement, au corps la servitude ». Parfait..., s'il avait vécu comme il a dit. **14.** En effet, il s'est asservi aux voluptés d'une façon scandaleuse, et il a détruit lui-même sa maxime par sa vie dépravée. Si l'âme est de feu, comme nous l'avons montré[2], elle doit s'élancer vers le ciel, comme fait le feu pour éviter d'être éteint, c'est-à-dire vers l'immortalité qui est dans le ciel ; et tout comme le feu ne peut brûler et vivre, s'il n'est pas entretenu par quelque substance consistante en laquelle il trouve un aliment, de même l'âme a-t-elle pour substance et pour nourriture uniquement la justice, par laquelle elle tient à la vie.

Le Paradis Terrestre

15. Après cela, Dieu plaça l'homme, engendré de la manière que j'ai dite, dans le Paradis, c'est-à-dire dans le jardin le plus fécond et le plus agréable qui soit : dans les régions de l'Orient, il l'avait planté de toutes sortes d'arbres et arbustes, pour que l'homme se nourrît de leurs fruits variés, et que, dispensé de tous travaux, il servît Dieu son Père avec la plus grande dévotion[3]. **16.** Alors, il lui donna des commandements précis ; s'il les observait, il resterait immortel, s'il les transgressait, il serait frappé par la mort. Ce qu'il lui avait ordonné, c'était de ne pas goûter

2. Cf. 9,25-26 ; sur la méthode véritablement dialectique et dynamique mise en œuvre par Lactance, et dont cette page peut constituer un modèle, cf. M. Perrin, *L'Homme antique...*, p. 271.

3. Lactance est de ceux qui prennent au sens littéral, *corporaliter*, le texte de la *Genèse* sur le Paradis terrestre, et y voient l'évocation d'un lieu réel (sur les diverses interprétations par les Pères, cf. Avg. *gen. ad litt.* 8,1 et note de l'édition de la *BA*, t. 49, p. 497).

75 fuerat in medio Paradiso, non gustaret, in qua posuerat intelligentiam boni et mali[g].

17. Tum criminator ille inuidens operibus Dei[h] omnes fallacias et calliditates suas ad deiciendum hominem intendit, ut ei adimeret immortalitatem. **18.** Et primo 80 mulierem dolo illexit ut uetitum cibum sumeret, et per eam ipsi quoque homini persuasit ut transcenderet Dei legem. Percepta igitur scientia boni et mali[i] pudere eum nuditatis suae coepit absconditque se a facie Dei, quod antea non solebat. **19.** Tum Deus, sententia in peccatores data, 85 eiecit hominem de Paradiso[j], ut uictum sibi labore conquireret[k], ipsumque Paradisum igni circumuallauit, ne homo posset accedere, donec summum iudicium faciat in terra et iustos uiros cultores suos in eumdem locum reuocet, morte sublata, sicut sacrae uoces docent, et Sibylla Erythraea cum 90 dicit :

Οἱ δὲ Θεὸν τιμῶντες ἀληθινὸν ἀέναόν τε
Ζωὴν κληρονομοῦσι[l], τὸν αἰῶνος χρόνον αὐτοὶ
Οἰκοῦντες Παράδεισον ὁμῶς, ἐριθηλέα κῆπον[m].

20. Verum haec, quoniam extrema sunt, in extrema operis

FONTES : **19** *Orac. Sib. frg.* 3,46-48 ; *cf.* THEOPH. *Autol.* 2,36

75 fuerat : erat *P* || paradiso : -i *Rg V* || qua : quo *B*¹ *corr.* *B*³ || 76 et : ac *g P V Br.* || 77 tum : tunc *H* || 78 deiciendum : decipiendum *P* || 79 et : sed *HM* || 81 transcenderet : transgrederet *B*¹ -eretur *B*² || 82 percepta : praecepta *P*¹ || 83 absconditque : abscondit *B* || 84 tum : tunc *P* || sententia : *om.* *V*¹ || peccatores : -ore *B* || 89 sublata : + et *H* || sicut : + et *M* || 94 sunt : + tota *P*

g. Gen. 2, 17 ; 3, 17. || h. Gen. 3, 1-6 ; Sag. 2, 24. || i. Gen. 3, 7-10. || j. Gen. 3, 17-19. || k. Gen. 3, 24. || l. Matth. 19, 29. || m. Gen. 2 ; 3.

1. *Gen.* 3, 7 attribue ce mouvement de pudeur à Adam et à Ève. Lactance ne se souvient ici que de l'interrogatoire (*Gen.* 3, 8-12) au cours duquel seul Adam avoue à Dieu sa honte d'être nu.

à un arbre unique, qui se trouvait au milieu du Paradis, et dans lequel il avait placé l'intelligence du bien et du mal.

La chute

17. Alors le tentateur, jaloux des œuvres de Dieu, déploie toutes ses capacités de ruse et de tromperie pour faire chuter l'homme, de façon à lui arracher l'immortalité. **18.** Par un premier stratagème, il poussa la femme à prendre de la nourriture interdite, et, par elle, il persuada également l'homme de transgresser la loi divine. Une fois qu'il eut acquis la science du bien et du mal, celui-ci commença à avoir honte de sa nudité, se cacha de la face de Dieu, ce qu'il n'avait pas l'habitude de faire auparavant[1]. **19.** Alors Dieu rendit un jugement de condamnation contre les coupables et chassa l'homme du Paradis, pour qu'il gagnât sa vie par le travail ; quant au Paradis, il le fit entourer d'un mur de feu, afin que l'homme ne pût y accéder, jusqu'au jour où il organiserait un jugement suprême sur la terre, et où, une fois la mort détruite, il appellerait en ce même lieu les hommes justes qui lui auraient rendu un culte[2], comme l'enseignent les paroles sacrées, ainsi que la Sibylle d'Érythrée, quand elle dit :

> « Ceux qui honorent le Dieu véritable et éternel ont la vie en héritage, et, pendant l'éternité, ils habitent ensemble le paradis, jardin fertile[3] ».

20. Mais puisque tout cela se passe à la fin, nous en

2. L'exposé de Lactance rappelle THEOPH. *Autol.* 2,20-28 (*SC* 20, p. 149 s.). Mais Lactance évite certaines difficultés soulevées par le texte biblique, sans doute pour ne pas alourdir un exposé apologétique par de longues discussions exégétiques (M. PERRIN, *L'Homme antique...*, p. 418-419).

3. L'ensemble du fragment auquel sont empruntés ces vers est cité par THEOPH. *Autol.* 2,36, avec une seule différence notable (παραδείσου là où Lactance écrit παραδείσον).

95 huius parte tractabimus : nunc ea quae prima sunt explicemus.

Mors itaque secuta est hominem secundum Dei sententiam, quod etiam Sibylla in carmine suo docet dicens :

Ἄνθρωπον πλασθέντα θεοῦ παλάμαις ἁγίαισιν
100 Ὅν κ' ἐπλάνησεν ὄφις δολίως ἐπὶ μοῖραν ἀνελθεῖν[n]
Τοῦ θανάτου γνῶσίν τε λαβεῖν ἀγαθοῦ τε κακοῦ τε.

21. Sic facta est uita hominis temporaria[o], sed tamen longa, quae in mille annos prorogaretur. Quod diuinis litteris proditum et per omnium scientiam publicatum cum 105 Varro non ignoraret, argumentari nisus est cur putarentur antiqui mille annos uictitasse. **22.** Ait enim apud Aegyptios pro annis menses haberi, ut non solis per duodecim signa circuitus faciat annum, sed luna, quae orbem illum signiferum triginta dierum spatio lustrat. Quod argu-110 mentum perspicue falsum est : nemo enim tunc millesimum annum transgressus est : **23.** nunc uero qui ad centesimum perueniunt, quod fit saepissime, mille certe ac ducentis mensibus uiuunt[p]. Et auctores idonei tradunt ad centum uiginti annos perueniri solere. **24.** Sed quia

FONTES : **20** *Orac. Sib.* 8,260-262

95 huius : cuius *B*¹ *corr. B*³ || parte : -em *B* || tractabimus : -uimus *B*¹ *(corr. B*³*) V*¹ + exponemus *B*¹ || 99 ανθρωπον... τε : *cf.* note *infra* || 100 ον κ'επλανησεν : ΚΑΙΠΑΑ ΝΟ Ν *V cf.* note *infra* || ανελθειν : ΑΝΕΛΘΗΙΝ *V cf.* note *infra* || 102 sic : si *B*¹ *corr. B*³ || uita : *om. V*¹ || temporaria : temporalis *H* || 103 prorogaretur : -abatur *B*¹ *corr. B*³ propagaretur *H* propagaret *M* proretur *V*¹ || 104 scientiam : -a *H* || 105 non : *om. V*¹ || cur... ait enim : ait enim *B*¹ *exp. B*³ *qui add.* cum putarentur antiqui mille annis uictitasse ait enim || putarentur : putarent *P M* || 105 annos : -is *B (i.e. B*³*) P* || 107 annis : -os *B*¹ *corr. B*³ || 108 signa : -is *M* || circuitus : -tu *HM* || luna : -ae *B HM* || 110 est : *transp. ante* perspicue *HM* || tunc : tum *B* || 111 transgressus : -um *V*¹ || est : *om. P* || 112 centesimum : + annum *HM* || 113 auctores : actores R || 114 centum : + et R *HM* || perueniri : -ire *Rg P*

n. Gen. 3, 1-6. || o. Gen. 5, 5. || p. Gen. 6, 3.

1. *ORAC. SIB.* 8,260-262 (= Geffcken, p. 158). Deux variantes notables : au vers 261, Geffcken écrit ὅν τ' et ἀπελθεῖν.

traiterons tout à la fin de notre ouvrage. Pour le moment, nous allons développer les débuts.

L'homme condamné à mourir après mille ans de vie

La mort s'est attachée aux pas de l'homme, suivant la sentence de Dieu; c'est ce qu'explique également la Sibylle dans son poème, quand elle dit :

«L'homme modelé par les mains sacrées de Dieu,
trompé perfidement par le serpent pour que la mort
s'inscrive en son destin et qu'il reçoive la connaissance
du bien et du mal[1]...»

21. C'est ainsi que la vie de l'homme s'est trouvée limitée dans le temps; mais elle restait longue, puisqu'elle s'étendait jusqu'à mille ans. Bien que cela fût rapporté par les écrits divins, répandu partout par la science, et qu'il ne l'ignorât pas, Varron s'est efforcé d'expliquer pourquoi on croyait que les anciens vivaient jusqu'à mille ans. **22.** Il dit, en effet, que, chez les Égyptiens, ce sont les mois que l'on comptait pour des années, car ce n'était pas la trajectoire du soleil à travers les douze signes qui déterminait une année, mais la lune qui parcourt ce cercle des douze signes en l'espace de trente jours. Voilà un argument qui est manifestement faux : en effet, nul alors n'a dépassé la millième année, **23.** tandis que ceux qui, de nos jours, parviennent à leur centième année, ce qui est très fréquent, vivent en fait douze cents mois. Et des auteurs sérieux disent qu'on atteignait habituellement cent vingt ans[2]. **24.** Mais, parce

2. Sur la durée de 100 ans habituellement attribuée à la vie humaine, cf. *opif.* 4,3 et commentaire de M. PERRIN, *SC* 214, p. 270-271. Un autre ensemble d'auteurs considère que la durée normale de la vie était de 120 ans : ARN. *nat.* 2,71; TREB. POLL. *Claud.* 2,4, peut-être inspiré par PHIL. *gig.* 55. PLINE (*nat.* 7,48-50) n'exprime que ses incertitudes en donnant un catalogue de cas divers : cf. le commentaire de R. SCHIL-

115 ignorabat Varro cur aut quando esset uita hominis deminuta, ipse deminuit, cum sciret mille et quadringentis mensibus posse hominem uiuere.

CAPVT XIII

1. Deus autem postea, cum uideret orbem terrae malitia et sceleribus oppletum[a], statuit humanum genus diluuio perdere. Sed tamen, ad multitudinem reparandam delegit unum, quod corruptis omnibus singulare iustitiae supe-
5 rerat exemplum. **2.** Hic cum sescentorum esset annorum, fabricauit arcam[b], sicut ei praeceperat Deus, in qua ipse cum coniuge ac tribus filiis totidemque nuribus reseruatus est[c], cum aqua uniuersos montes altissimos operuisset. **3.** Deinde orbe siccato exsecratus iniustitiam
10 prioris saeculi Deus[d], ne rursus longitudo uitae causa esset excogitandorum malorum, paulatim per singulas progenies deminuit hominis aetatem[e] atque in centum et uiginti annis metam collocauit quam transgredi non liceret. **4.** Ille uero cum egressus esset ex arca[f], sicuti sanctae litterae
15 docent, terram studiose coluit ac uineam sua manu seuit. Vnde arguuntur qui auctorem uini Liberum putant. Ille

115 deminuta : dim- *g B* || 116 et : *om. B* || quadringentis : *s.l.* quadringenta *add. B*³
1 malitia : -tiae *P* || 3 delegit : diligit *HM* || 4 singulare : -ri *HM* || supererat : superaret *HM* || iustitiae : -a *Br. errore, cf. ed. eius p. CXIII* || 5 sescentorum : *om. P*¹ DC *P*² sexcentorum *g V* || 6 ei : *om.* R || 8 reseruatus : seruatus *P* || 9 exsecratus : exsecratur *B*¹ *corr. B*³ execretus *M* || 10 rursus : -um *B* russus *V* || 12 deminuit : di- *g PV* || 14 liceret : licet *B* || 14 sicuti : sicut *R H*¹ || 15 uineam : -a *B*¹ *(corr. B*³*) HM* || 16 sua manu : *om. B* || sua : -am *P* || seuit : seruit *HM* || arguuntur : arguunt *M* || auctorem : actorem *R P*

a. Gen. 6, 5-22. || b. Gen. 7, 6. || c. Gen. 7, 19. || d. Gen. 8, 13-14. || e. Gen. 6, 3. || f. Gen. 9, 20.

qu'il ignorait quand et pourquoi la vie de l'homme avait été diminuée, Varron la diminua de lui-même, alors qu'il savait bien que l'homme peut vivre quatorze cents mois.

CHAPITRE XIII

Le Déluge

1. Mais, plus tard, lorsque Dieu vit que la terre était couverte de méchanceté et de crimes, il décida de détruire l'espèce humaine par un déluge[1]. Cependant, pour reconstituer la foule des hommes, il en choisit un, parce que, au milieu de la corruption générale, celui-ci était resté comme un modèle unique de justice. **2.** Bien qu'il fût âgé de six cents ans, celui-ci fabriqua, comme Dieu le lui avait ordonné, une arche dans laquelle il fut sauvé, lui, avec sa femme, ses trois fils et autant de brus, alors que l'eau avait recouvert toutes les montagnes les plus élevées. **3.** Puis, quand le monde fut asséché, Dieu maudit l'injustice de la génération précédente, et, craignant que la longueur de la vie ne les conduisît encore à imaginer des crimes, il diminua peu à peu l'âge de l'homme, génération par génération, et fixa à cent vingt ans la borne qu'il ne serait pas possible de dépasser. **4.** Quand l'homme fut sorti de l'arche, il cultiva soigneusement la terre, d'après ce que disent les Écritures, et, de sa propre main, il planta une vigne. Et cela confond ceux qui croient que Liber est l'inventeur du vin. Car cet

LING, *CUF,* p. 220-221. Quant au témoignage d'*auctores idonei* dont Lactance fait état, il nous paraît bien fragile : la présence de *solere* dans la formule qu'il reproduit laisse penser que cette phrase ne parle pas de l'ensemble de l'humanité, mais d'une peuplade particulière dont l'habitude serait opposée à celles des autres. S. AUGUSTIN revient sur ces calculs, *ciu.* 12,11 et 15,12.

1. Nous avons analysé ce chapitre dans notre *Lactance et la Bible,* t. 1, p. 243-245.

enim non modo Liberum, sed etiam Saturnum atque Uranum multis antecessit aetatibus.

5. Qua ex uinea cum primum fructum cepisset[g], laetus
20 factus bibit usque ad ebrietatem iacuitque nudus. Quod cum uidisset unus ex filiis, cui nomen fuit Cham, non texit patris nuditatem, sed egressus etiam fratribus indicauit. At illi sumpto pallio intrauerunt auersis uultibus patremque texerunt. **6.** Quae facta cum pater recognosset, abdicauit
25 atque expulit filium[h]. At ille profugus in eius terrae parte consedit quae nunc Arabia nominatur, eaque terra de nomine eius Chanaan dicta est, et posteri eius Chananaei. 7. Haec fuit prima gens quae Deum ignorauit, quoniam princeps eius et conditor cultum Dei a patre non accepit,
30 maledictus ab eo[i] : itaque ignorantiam diuinitatis minoribus suis reliquit.

8. Ab hac gente proximi quique populi multitudine increscente fluxerunt. Ipsius autem patris posteri Hebraei dicti : penes quos religio Dei resedit. **9.** Sed et ab his
35 postea multiplicato in immensum numero cum eos angustiae locorum suorum capere non possent, tum adulescentes uel missi a parentibus uel sua sponte, cum rerum penuria cogeret, profugi ad quaerendas sibi nouas sedes huc atque illuc dispersi omnes insulas et orbem totum repleuerunt[j] et
40 a stirpe sanctae radicis auulsi nouos sibi mores atque instituta pro arbitrio condiderunt.

21 ex : e *R H V* || 22 at : et *B* || 23 pallio : palleo *B* || auersis : auersibus *P* || 24 recognosset : recognouisset R recognosceret *HM* cognouisset *g* || 26 eaque : quae *V*¹ eaquae *V*² || de : ex *B* || 28 gens : progenies *B HM* || 29 et : *om.* *P* || cultum : uultum *B* || 32 populi : *om.* *P* || multitudine : + populi R || 33 increscente : crescente *B* || 34 dei : *om.* *P* || 34 sed et : *om.* *P* || et : *om.* *B*¹ *add.* *B*³ || ab : *om.* *V*¹ || 35 multiplicato : -ti *B* || numero : -rum *B* || 36 suorum : *om.* *P* || 38 cogeret : + et *P* || 39 insulas : *om.* *P*¹ || 40 a ab *HM*

g. Gen. 9, 21-25. || h. Gen. 10, 6-20. || i. Gen. 9, 25. || j. Gen. 10, 5.32.

homme-là a précédé de nombreuses générations non seulement Liber, mais aussi Saturne et Uranus.

La faute de Cham

5. Après avoir recueilli le premier fruit de cette vigne, tout guilleret, il but jusqu'à l'ivresse et demeura étendu tout nu sur le sol. Un de ses fils, nommé Cham, s'en aperçut ; et pourtant, il ne voila pas la nudité de son père, mais sortit même pour le dire à ses frères. Alors ceux-ci prirent un manteau, entrèrent en détournant leurs regards et recouvrirent leur père. **6.** Quand le père eut appris tout cela, il déshérita et chassa son fils. Et celui-ci, exilé, s'installa dans la partie du monde qu'on appelle maintenant l'Arabie ; et cette terre d'après son nom fut appelée Chanaan, et ses descendants les Chananéens. **7.** Ce fut la première famille qui ignora Dieu, parce que son chef et fondateur ne reçut pas de son père la religion de Dieu, car il avait été maudit par lui ; c'est pourquoi il légua à ses descendants l'ignorance de la divinité.

La dispersion des hommes

8. C'est de cette famille, au fur et à mesure qu'elle s'accrut en nombre, que naquirent tous les peuples voisins. Quant aux descendants directs du père, ils furent appelés les Hébreux : c'est chez eux que demeura la religion de Dieu. **9.** Mais comme par la suite, leur nombre aussi s'était multiplié d'immense façon, et que l'étroitesse de leur territoire ne pouvait les contenir, alors les hommes jeunes, soit envoyés par leurs parents, soit spontanément, poussés par le besoin, s'exilèrent pour chercher de nouveaux territoires, se dispersèrent çà et là, remplirent toutes les îles et le monde entier, puis, une fois arrachés à la souche de la sainte racine, mirent en place, selon leur caprice, de nouvelles mœurs et de nouvelles lois.

10. Sed omnium primi qui Aegyptum occupauerant caelestia suspicere atque adorare coeperunt. Et quia neque domiciliis tegebantur propter aeris qualitatem nec ullis in
45 ea regione nubibus subtexitur caelum, cursus siderum et effectus notauerunt, dum ea saepe uenerantes curiosius ac liberius intuentur. **11.** Postea deinde portentificas animalium figuras quas colerent commenti sunt quibusdam prodigiis inducti, quorum mox auctores aperiemus.
50 **12.** Ceteri autem qui per terram dispersi fuerant, admirantes elementa mundi, caelum, solem, terram, mare, sine ullis imaginibus ac templis uenerabantur et his sacrificia in aperto celebrabant, donec processu temporum potentissimis regibus templa et simulacra fecerunt eaque uictimis
55 et odoribus colere instituerunt. Sic aberrantes a notitia Dei *gentes* esse coeperunt. **13.** Errant igitur qui deorum cultus ab exordio rerum fuisse contendunt et priorem esse gentilitatem quam Dei religionem, quam putant posterius inuentam, quia fontem atque originem ueritatis ignorant.
60 Nunc ad principium mundi reuertamur.

CAPVT XIV

1. Cum ergo numerus hominum coepisset increscere, prouidens Deus ne fraudibus suis diabolus, cui ab initio

42 occupauerant : -erunt *HM PV*[1] occuparant *R* || 43 suspicere : suscipere *R* sus *V*[1] || neque domiciliis : domiciliis non *R* || 44 propter aeris qualitatem : pro aeris qualitate *R* || nec ullis : + enim *V* || 45 subtexitur : obtextitur *HM* || cursus : -um *H*[1] || 46 effectus : defectus *P* || uenerantes : -tur *B* || 47 intuentur : intuentes *B* || portentificas : portificas *V* || 49 auctores : actores *R* || 50 fuerant : -runt *B PV* || 51 solem : -e *H*[1] || 55 aberrantes : -tis *B*[1] || 56 dei : *om. P*

1 cum : cur *V*[1] || hominum : -is R || 2 diabolus : zabulus *B*[1] ziabulus *B*[2] diabulus *B*[3]

1. Il s'agit des démons : cf. *infra* chap. 16.

10. Ceux d'entre eux qui avaient occupé l'Égypte furent les premiers à contempler les objets célestes et à leur rendre un culte. Et parce qu'ils ne s'abritaient pas dans des maisons, à cause de la douceur de l'air et que, dans ce pays, le ciel n'est jamais voilé de nuages, ils notèrent les cours des astres et leurs effets, du fait que, en leur adressant souvent leurs prières, ils les regardaient avec plus de curiosité et de facilité. **11.** Ensuite ils fabriquèrent, pour leur rendre un culte, quelques monstrueuses figures d'animaux : ils y furent poussés par quelques prodiges dont nous révélerons bientôt les auteurs[1].

12. Les autres, qui s'étaient dispersés sur la terre, contemplèrent avec admiration les éléments du monde, et se mirent à vénérer le ciel, le soleil, la terre, la mer, sans aucun temple ni aucune statue : ils leur offraient des sacrifices en plein air, jusqu'au moment où, avec le temps, ils se mirent à construire temples et statues pour leurs rois les plus puissants, et décidèrent de leur rendre un culte, avec des victimes et des parfums. C'est ainsi que se formèrent les *nations,* qui n'ont aucune connaissance de Dieu. **13.** Ils se trompent donc, ceux qui soutiennent que le culte des dieux a existé dès le commencement du monde et que le paganisme est antérieur à la croyance en Dieu, qu'ils croient avoir été inventée plus tard parce qu'ils ignorent la source et l'origine de la vérité. Maintenant, revenons au commencement du monde.

CHAPITRE XIV

Mission et chute des anges

1. Comme le nombre des hommes avait commencé à augmenter, Dieu, pourvoyant à ce que le diable, à qui dès le commencement il avait donné pouvoir sur la terre,

dederat terrae potestatem, uel corrumperet homines uel disperderet, quod in exordio fecerat, misit angelos ad
5 tutelam cultumque generis humani : quibus praecepit ante omnia ne terrae contagione maculati substantiae caelestis amitterent dignitatem. Scilicet id eos facere prohibuit quod sciebat esse facturos, ut ueniam sperare non possent. **2.** Itaque illos cum hominibus commorantes dominator
10 ille terrae fallacissimus consuetudine ipsa paulatim ad uitia pellexit et mulierum congressibus inquinauit[a]. **3.** Tum in caelum ob peccata quibus se immerserant non recepti ceciderunt in terram. Sic eos diabolus ex angelis Dei suos fecit satellites ac ministros.

15 **4.** Qui autem sunt ex his procreati, quia neque angeli neque homines fuerunt[b], sed mediam quamdam naturam gerentes, non sunt ad inferos recepti sicut in caelum parentes eorum. **5.** Ita duo genera daemonum facta sunt, unum caeleste, alterum terrenum. Hi sunt immundi spi-
20 ritus, malorum quae geruntur auctores, quorum idem diabolus est princeps. **6.** Vnde illum Trismegistus *daemoniarchen* uocat. Daemonas autem grammatici dictos aiunt quasi δαήμονας, id est *peritos ac rerum scios :* hos enim putant

4 exordio : + rerum *B* || 5 quibus : + quia liberum arbitrium erat datum *B* || 7 id eos : ideo et is *P* || 9 hominibus : omnes *P* || 10 ipsa : ipse *M om.* V^1 || 12 peccata : + in *HM* || 13 ceciderunt : + rursus *R* || eos : *om.* B^1 *add.* B^3 || 15 quia : *om. P* || 16 naturam : notitiam B^1 *corr.* B^3 || 17 ad : apud *HM* || 18 facta : pacta H^1 || 19 caeleste : -em *P* || hi : hii *g P V* || spiritus malorum : spiritis spiritus malorum V^2 *in ras.* || 20 malorum : -rumque *P* || geruntur : -rentur H^1 || auctores : actores *R* || 22 daemonas : -es *B* dammonas *H* || dictos : + esse *M* || 23 hos : hoc *V*

a. Gen. 6, 2. || b. Gen. 6, 4.

1. Sur ce chapitre, on se reportera essentiellement à E. SCHNEWEIS, *Angels and demons according to Lactantius* (*Studies in christian antiquity* 3) Washington, 1944. Lactance s'y inspire des apologistes grecs, par l'intermédiaire de TERT. *apol.* 22,4-10, et surtout de MIN. FEL. 26,8-fin et 27. On trouvera des indications bibliographiques complémentaires les

ne pût corrompre les hommes ou les perdre, ce qu'il avait fait dès le début, envoya des anges pour veiller sur le genre humain et le protéger[1]. Et, avant toutes choses, il leur recommanda de ne pas se laisser souiller par la contagion de la terre et de ne pas perdre ainsi la dignité de leur substance céleste. En fait, il leur défendit de faire ce qu'il savait qu'ils allaient faire : de la sorte, ils ne pourraient espérer de salut. **2.** C'est pourquoi, tandis que ceux-ci séjournaient parmi les hommes, ce maître de la terre, menteur suprême, les poussa peu à peu au vice et les souilla en les unissant aux femmes. **3.** Alors, n'étant plus accueillis dans le ciel à cause des péchés dans lesquels ils s'étaient plongés, ils retombèrent sur la terre. C'est ainsi que le diable fit, de ces anges de Dieu, ses satellites et ses serviteurs.

Les deux espèces de démons

4. D'autre part, les êtres qu'ils avaient engendrés, n'étant ni anges ni hommes, mais ayant une nature intermédiaire, ne furent pas plus accueillis aux enfers que leurs parents dans le ciel. **5.** Ainsi, il y eut deux espèces de démons, l'une céleste, l'autre terrestre. Ce sont des esprits impurs, responsables de tout le mal qui se fait, et dont ce même diable est le prince. **6.** Voilà pourquoi Trismégiste l'appelle «prince des démons[2]». Quant aux démons, ils sont ainsi nommés, selon les grammairiens, à cause de *daemones,* c'est-à-dire «ceux qui comprennent et savent les

unes des autres dans les éditions de Minucius procurées par M. Pellegrino (p. 205 s.) et J. Beaujeu (p. 132).

2. On renvoie généralement, pour ce passage, à *Ascl.* 28, *CH,* t. 2, p. 334 (cf. en dernier lieu A. WLOSOK, *Laktanz...,* p. 207, n. 72, et p. 261). Mais le *summus daemon* dont il est question dans ce texte est un juge suprême des âmes, tandis que Lactance parle ici du prince des démons qui n'a pas le pouvoir de juger, mais simplement celui d'accuser (*criminator,* cf. *supra* 2,8,6).

deos esse. Sciunt illi quidem futura multa, sed non omnia,
25 quippe quibus penitus consilium Dei scire non liceat, et ideo solent responsa in ambiguos exitus temperare.

7. Eos poetae et sciunt esse daemonas et loquuntur. Hesiodus ita tradit :

Τοὶ μὲν δαίμονές εἰσι Διὸς μεγάλου διὰ βουλὰς
30 Ἐσθλοὶ ἐπιχθόνιοι, φύλακες θνητῶν ἀνθρώπων.

8. Quod idcirco dictum est quoniam custodes eos humano generi Deus miserat ; sed et ipsi, cum sint perditores hominum, custodes tamen se uideri uolunt, ut ipsi colantur et Deus non colatur.

35 **9.** Philosophi quoque de his disserunt. Nam Plato etiam naturas eorum in *Symposio* exprimere conatus est, et Socrates esse circa se adsiduum daemona loquebatur, qui puero sibi adhaesisset, cuius nutu et arbitrio sua uita regeretur.

40 **10.** Magorum quoque ars omnis ac potentia horum adspirationibus constat, a quibus inuocati uisus hominum praestigiis obcaecantibus fallunt, ut non uideant ea quae sunt et uidere se putent illa quae non sunt. **11.** Hi, ut dico, spiritus contaminati ac perditi, per omnem terram

FONTES : 7 HES. *op.* 122-123 9 *Cf.* PLAT. *symp.* 202 e ; MIN. FEL. 26,9.12 10 *Cf.* TERT. *apol.* 9,20 ; MIN. FEL. 26,10

25 et : *om. H* || 27 daemonas : -es *BH* dammonas *M* || et[2] : ut *HM* || 28 tradit : tradidit *HM* || 32 et : *om. B* || 34 et deus non colatur : *om. B* || 35 philosophi : philophi *V*[1] || 36 symposio : symphosio *g* synphonio *B* || 37 daemona : -nam *g P* || loquebatur : fatebatur *R* || 39 regeretur : gereretur *HM* || 40 ac : et *HM* || 42 fallunt : -ntur *HM*

1. L'étymologie est empruntée à PLAT. *Crat.* 398 B, sans doute par l'intermédiaire d'une scolie ou d'un recueil d'étymologies (cf. M. PERRIN, « Le Platon de Lactance », dans *Lactance et son temps* p. 215-216). Comme Lactance, MACROBE (*sat.* 1,23) précise que cette connaissance des démons porte sur l'avenir.

2. Nous traduisons le texte d'Hésiode comme devait l'entendre Lactance, c'est-à-dire comme une affirmation de l'« existence de

choses[1] », car ils croient que ce sont des dieux. Ceux-ci connaissent, en effet, beaucoup de choses à venir, mais pas toutes, car il ne leur est pas donné de connaître exactement les dispositions divines, et c'est pourquoi ils ont l'habitude de rendre des oracles en termes ambigus.

7. Les poètes savent bien que ce sont des démons et ils le disent. Hésiode nous transmet ceci :

« Ces démons existent par la volonté de Zeus le grand,
bons génies de la terre, gardiens des hommes mortels[2] ».

8. Il dit cela, parce que Dieu les avait envoyés comme protecteurs pour le genre humain. Mais eux, de leur côté, bien qu'ils soient la perte de l'humanité, veulent cependant passer pour ses protecteurs, afin de recevoir un culte et d'empêcher Dieu d'en recevoir un.

9. Les philosophes traitent également de ces démons. Platon s'est même efforcé de présenter leurs diverses natures dans son *Banquet,* et Socrate disait qu'il avait toujours auprès de lui son démon, qui s'était attaché à lui quant il était tout enfant, selon la volonté et le jugement duquel il dirigeait sa vie.

Les démons cherchent à perdre les hommes

10. Tout l'art des mages et leur puissance sont également fondés sur le pouvoir qu'ils ont d'évoquer ces démons qui, appelés par eux, trompent les regards des hommes par des faux-semblants qui les aveuglent, si bien que ceux-ci ne voient pas ce qui est, et croient voir ce qui n'est pas. **11.** Ces esprits, que j'appelle souillés et perdus, errent par toute la terre, et, pour se

démons ». Mais dans le contexte, ce vers signifie que les hommes de la race d'or sont devenus des « bons génies » de l'humanité.

45 uagantur et in solacium perditionis suae perdendis hominibus operantur. **12.** Itaque omnia insidiis, fraudibus, dolis, erroribus complent : adhaerent enim singulis hominibus et omnes ostiatim domos occupant ac sibi *geniorum* nomen adsumunt (sic enim latino sermone *daemonas* inter-
50 pretantur). **13.** Hos in suis penetralibus consecrant, his cotidie profundunt, et scientes daemonas uenerantur quasi terrestres deos et quasi depulsores malorum quae ipsi faciunt et irrogant. **14.** Qui quoniam spiritus sunt tenues et incomprehensibiles, insinuant se corporibus hominum et
55 occulte in uisceribus operati ualetudinem uitiant, morbos citant, somniis animos terrent, mentes furoribus quatiunt, ut homines his malis cogant ad eorum auxilia decurrere.

CAPVT XV

1. Quarum omnium fallaciarum ratio expertibus ueritatis obscura est. Prodesse enim putant eos, cum nocere desinunt, qui nihil possunt aliud quam nocere. **2.** Dicat fortasse aliquis colendos ergo esse ne noceant, siquidem
5 possunt nocere. – Nocent illi quidem, sed his a quibus

45 in : *om. Rg PV* || 46 operantur : operatur *H*[1] || 47 complent : compellent *HM* com *V*[1] || adhaerent enim : adherentium *V*[1] || 48 omnes : -is *R B*[1] *(corr. B*[3]*) H V* || 49 daemonas : -es *B* || 50 consecrant : -ent *M* conlocant *B* || 51 profundunt : + preces *R cf.* p. 219 || scientes : *cf.* p. 219 || daemonas : -es *B* || 55 operati : operantur *B* || morbos : -o *R* || 56 animos : -as *M* || 57 homines : -ibus *V* || eorum : deorum *P*
1 prodesse : prodeesse *HM* || cum : quod *B*[1] *corr.* *B*[3] || quam : nisi *V* || 4 colendos... illi : colendos ergo noceant illi *P* || ne noceant : noceant *V*[1] || 5 possunt : possint *V Br.* || his : hiis *g P* iis *Br.*

1. Le *genius* romain était assimilé au *daimon* depuis au moins Lucilius Les génies étaient l'objet d'un culte individuel et familial très simple mais très assidu, puisqu'après avoir présidé à la conception et à la naissance de chaque homme, ils l'accompagnaient durant toute sa vie tantôt favorables, parfois irrités et donc redoutables. Les apologistes

consoler de leur perte, travaillent à perdre les hommes. **12.** C'est pourquoi ils emplissent tout de pièges, de mensonges, de traquenards, et d'erreurs. Ils s'attachent à chacun des hommes, occupent systématiquement chaque maison et se donnent le nom de *génies* (c'est ainsi qu'en latin on traduit le mot *daemones*). **13.** Les gens les vénèrent dans le secret de leur maison, chaque jour ils répandent pour eux des libations, et, en toute connaissance de cause, ils vénèrent les démons comme des dieux terrestres qui écarteraient les malheurs, alors qu'ils en sont précisément la cause et l'origine[1]. **14.** Et, comme il s'agit d'esprits subtils et insaisissables, ils s'insinuent dans les corps de certaines personnes, puis, une fois discrètement à l'œuvre dans leurs entrailles, ils détruisent leur santé, provoquent des maladies, terrifient leurs esprits par des songes, secouent leur raison par des crises de folie, si bien que, par ces méchancetés, ils forcent les hommes à venir au secours de leurs victimes.

CHAPITRE XV

Les démons sont moins puissants que les chrétiens

1. La raison de toutes ces tromperies n'est pas claire pour ceux qui ignorent la vérité. Ils croient, en effet, que ceux-ci peuvent être utiles lorsqu'ils renoncent à faire du mal, alors qu'il ne peuvent rien faire d'autre que du mal. **2.** On dira peut-être qu'il faut leur rendre un culte pour qu'ils ne fassent pas de mal, étant donné qu'ils ont le pouvoir de faire du mal. Ils font effectivement du mal, mais à ceux qui

profitent de la confusion *daimon/genius* pour condamner énergiquement ce culte, et s'en prendre en outre au culte que chacun se croyait obligé de rendre au génie de l'empereur : cf. TERT. *apol.* 32 ; MIN. FEL. 29,5.

timentur, quos manus Dei potens et excelsa non protegit, qui profani sunt a sacramento ueritatis. **3.** Iustos autem, id est cultores Dei, metuunt, cuius nomine adiurati de corporibus excedunt : quorum uerbis tamquam flagris
10 uerberati non modo daemonas esse se confitentur, sed etiam nomina sua edunt, illa quae in templis adorantur. Quod plerumque coram cultoribus suis faciunt, non utique in opprobrium religionis, sed honoris sui, quia nec Deo per quem adiurantur, nec iustis quorum uoce torquentur
15 mentiri possunt. **4.** Itaque maximis saepe ululatibus editis uerberari se et ardere et iam iamque exire proclamant : **5.** tantum habet cognitio Dei ac iustitia potestatis. Cui ergo nocere possunt nisi his quos habent in sua potestate? **6.** Denique adfirmat Hermes eos qui cognouerint Deum
20 non tantum ab incursibus daemonum tutos esse, uerum etiam ne fato quidem teneri : Μιά, inquit, φυλακὴ εὐσέβεια. Εὐσεβοῦς γὰρ ἀνθρώπου οὔτε δαίμων κακὸς οὔτε εἱμαρμένη κρατεῖ. Θεὸς γὰρ ῥυέται τὸν εὐσεβῆ ἐκ παντὸς κακοῦ. Τὸ γὰρ ἓν καὶ μόνον ἐν ἀνθρώποις ἐστὶν ἀγαθὸν εὐσέβεια. Quid sit
25 autem εὐσέβεια ostendit alio loco his uerbis : ἡ γὰρ εὐσέβεια γνῶσίς ἐστιν τοῦ θεοῦ. **7.** Asclepius quoque auditor eius eamdem sententiam latius explicauit in illo *Sermone perfecto* quem scripsit ad regem. **8.** Vterque uero daemonas esse

FONTES : 6 *Corp. Herm.* t. 2 p. 336,1 ; *cf.* CYRILL. *c. Iul.* p. 130 E; *Corp. Herm.* t. 1 p. 97; t. 4 p. 110 7 *Cf. Corp. Herm.* t. 2 p. 329 s.

7 qui : quia *B*[3] || 9 excedunt : abscedunt *B* || flagris : flagellis *HM* flaglis *V* || 10 daemonas : -es *HM* || se : *om.* *B*[1] *add.* *B*[3] sese *HM* || 11 nomina sua edunt : nominauerunt (?) *B*[1] *corr.* *B*[3] || 12 quod : et *HM* || 13 sed : et R *B HM P* || quia : qui *B* || 15 editis : *B*[1] *non legi potest, in ras.* *B*[3] *scr.* editis || 16 iam : *om.* *P* || 17 habet : *om.* *B*[1] *corr.* *B*[3] || dei ac : desua *B*[1] *corr.* *B*[2] *et* *B*[3] || potestatis : potest *B*[1] *corr.* *B*[3] || 18 his : hiis *g* iis R *Br.* || habent : habet *V*[1] || 19 eos : hos *B* || cognouerint : -runt *B P M* || 20 esse : *om.* R || 21 μια... αγαθον ευσεβεια : una *B*[1] *in spatio relicto* hd bonum pietas autem *B*[3], *qui add. interp. lat. in inf. marg.* || 25 his : in his R || η γαρ... θεου : *om.* *B*[1] *pietas enim est ds* *B*[3] || 26 auditor : adiutor *B* || 27 explicauit : explanauit *g* ||

les craignent, qui ne sont pas protégés par la noble et puissante main de Dieu, qui sont étrangers au mystère de la vérité. **3.** Mais ils craignent les justes, c'est-à-dire les adorateurs de Dieu, dont le seul nom[1], quand ils sont adjurés par lui, les fait sortir des corps ; frappés par leurs paroles comme par des fouets, ils ne se contentent pas de proclamer qu'ils sont des démons, mais ils donnent encore leurs noms, ceux-là même que l'on adore dans les temples. Ils le font le plus souvent en présence de leurs adorateurs, et cela ne jette pas le discrédit sur la religion, mais sur leur honneur, car ils ne peuvent mentir ni à Dieu au nom de qui on les adjure, ni aux justes dont la voix les torture. **4.** C'est pourquoi, souvent, ils poussent de grands cris, déclarant qu'on les frappe, qu'on les brûle et qu'ils vont sortir tout de suite, **5.** tant la connaissance de Dieu et sa religion ont de pouvoir ! A qui donc peuvent-ils faire du mal, sinon à ceux qu'ils ont en leur pouvoir ? **6.** Enfin, Hermès affirme que ceux qui connaissent Dieu sont non seulement à l'abri des attaques des démons, mais en outre qu'ils ne sont même pas enchaînés par le destin. « La piété, dit-il, est l'unique gardienne. Sur un homme pieux, ni mauvais démon, ni le destin n'ont de pouvoir. Dieu protège l'homme pieux de tout mal. Le seul et unique bien, chez les hommes, est, en effet, la piété ». Ce qu'est la piété, il le montre dans un autre passage, en ces termes : « La piété est la connaissance de Dieu ». **7.** Et Asclépius, son disciple, a développé plus longuement cette même formule dans le *Discours parfait* qu'il a écrit pour un roi. **8.** Ils affirment

sermone : sermo *V* || perfecto : profecto *g* || 28 daemonas : -es *B* + et *P* || esse : *om. HM*

1. C'est par le seul « nom » du Christ, Verbe tout-puissant, à l'exclusion de tout autre moyen, que les chrétiens chassent les démons : cf. *Act.* 16,18 ; JUST. *apol.* 2,6,6 ; 2,8,4 ; TERT. *apol.* 23,15 ; MIN. FEL. 27,7.

adfirmat inimicos et uexatores hominum, quos ideo Tri-
30 megistus ἀγγέλους πονηρούς appellat : adeo non ignorau[it]
ex caelestibus deprauatos terrenos esse coepisse !

CAPVT XVI

1. Eorum inuenta sunt astrologia et haruspicina e[t]
auguratio et ipsa quae dicuntur oracula et necromanti[a]
et ars magica et quidquid praeterea malorum exercen[t]
homines uel palam uel occulte : quae omnia per se fals[a]
5 sunt, ut Sibylla Erythraea testatur :

... ἐπεὶ πλάνα πάντα τάδ' ἐστιν,
ὅσσαπερ ἄφρονες ἄνδρες ἐρευνῶσιν κατὰ ἦμαρ.

2. Sed idem ipsi auctores praesentia sua faciunt ut uer[a]
esse credantur : ita hominum credulitatem mentita diuini-
10 tate deludunt, quod illis uerum aperire non expedi[t].
3. Hi sunt qui fingere imagines et simulacra docuerun[t],
qui, ut hominum mentes a cultu ueri Dei auerterent,
effictos mortuorum regum uultus et ornatos exquisit[a]
pulchritudine statui consecrarique fecerunt et illorum sib[i]
15 nomina quasi personas aliquas induerunt. 4. Sed eo[s]

FONTES : 8 *Cf. Corp. Herm.* t. 2 p. 329,15
1 *Orac. Sib.* 3,228-229

29 ideo : idem *R* || 30 αγγελους πονηρους : *om.* *B*[1] angelos nequissimo[s] *B*[3] angelus ponerus *HM* angelos ANTEΛOYC malos ΠONHPOYC [...] angelos malignos ANΓEΛOYC ΠONEPOYC *V*

1 haruspicina : -ae *HM* || 2 necromantia : necromanti *V*[1] negromanti[a] *P*[1] nigromantia *P* nicromantia *g* || 4 uel (occulte) : *om.* *B*[1] *corr.* *B*[3] || falsa palam *B*[1] *corr.* *B*[3] || 6 επει ...ημαρ : *om.* *B*[1] *add.* *B*[3] *qui om.* ταδ' || *B* *quamquam graeca om., in marg. add.* quia falsa sunt omnia quae insipiente[s] homines cottidie nominantur || 8 auctores : ac- *R* || faciunt : -ient *P* || hominum : -is *B*[1] *corr.* *B*[3] || credulitatem : -te *g H* || 11 fingere : pingere [...]

tous deux que les démons sont les ennemis et les bourreaux des hommes; c'est pour cela que Trismégiste les appelle précisément les anges méchants. Tant il est vrai qu'il n'a pas ignoré que c'est après avoir dévié des voies célestes qu'ils sont devenus des êtres terrestres!

CHAPITRE XVI

Les activités des démons

1. Ce sont eux qui ont inventé l'astrologie, l'haruspicine, l'art des augures, et tout ce qu'on appelle oracles, nécromancie, art magique, et toutes les activités que les hommes pratiquent dans le domaine du mal, soit ouvertement, soit en secret. Tout cela n'est, en soi, qu'erreur, comme l'affirme la Sibylle d'Érythrée : «... Puisque tout cela est faux, tout ce que les hommes bornés découvrent chaque jour[1].» **2.** Mais ceux-là même qui en sont l'origine font en sorte, par leur présence, que tout cela soit pris pour vrai : ainsi, ils se jouent de la crédulité des hommes en feignant d'être des dieux, parce qu'ils n'ont pas intérêt à leur découvrir la vérité. **3.** Ce sont eux qui ont enseigné l'art de faire des images et des statues; qui, pour détourner l'esprit des hommes du culte du vrai Dieu, ont fait en sorte que l'on reproduise les traits des rois morts, ornés et embellis avec délicatesse, qu'on leur donne place et qu'on les consacre; puis, en guise de masques, en quelque sorte, ils se sont attribué les noms des modèles.

|| 12 qui ut : qui* (a *eras.*) *B* || auerterent : -erunt *B* || 13 effictos : et fictos *B HM* tos *V*[1] || 14 consecrarique : consecrariquae *B*[1] *corr.* *B*[3]

1. *ORAC. SIB.* 3,228-229 (Geffcken, p. 60), avec un texte légèrement différent : τὰ γὰρ πλάνα πάντα πέφυκεν/ὅσσα κεν....

magi et hi quos uere *maleficos* uulgus appellat, cum artes suas exsecrabiles exercent, ueris suis nominibus cient, illis caelestibus quae in litteris sanctis leguntur.

5. Hi porro incesti ac uagi spiritus ut turbent omnia et errores humanis pectoribus offundant, serunt ac miscent falsa cum ueris. Ipsi enim caelestes multos esse finxerunt unumque omnium regem Iouem, eo quod multi sint in caelo spiritus angelorum et unus dominus ac parens omnium Deus : sed ueritatem mentitis nominibus inuolutam ex oculis abstulerunt. **6.** Nam Deus, ut in principio docui, neque nomine, cum solus sit, eget, neque angeli, cum sint immortales, dici se deos aut patiuntur aut uolunt : quorum unum solumque officium est seruire nutibus Dei nec omnino quicquam nisi iussu facere. **7.** Sic enim mundum regi a Deo dicimus ut a rectore prouinciam : cuius apparitores nemo socios esse in regenda prouincia dixerit, quamuis illorum ministerio res geratur. **8.** Et hi tamen possunt aliquid praeter iussa rectoris per ipsius ignorantiam, quae est condicionis humanae : ille autem praeses mundi et rector uniuersi, qui scit omnia, cuius diuinis oculis nihil saeptum est, solus habet rerum omnium potestatem, nec est in angelis quicquam nisi parendi necessitas. **9.** Itaque nullum sibi honorem tribui

16 hi : hii *B* ii *Br.* || maleficos : -cio *HM* || cum : + autem B^3 || 17 suas : -os *P* || cient : scient *HM* || 19 porro : pro H^1 || ut turbent : obturbant B^1 *corr.* B^3 || 20 offundant : -unt B^1 || 21 caelestes : -is *B* || 22 sint : sunt *B* || 23 dominus : *om.* *HM* || 24 mentitis : mentis P^1 || 26 neque[1] : qui neque *HM* || nomine : homine V^1 || cum solus sit eget : e.c. solus sit *g P* || 27 immortales : -is P^1 || dici se deos : *om.* B^1 *corr.* B^3 || 29 iussu : -um *B* -i *HM* || 30 mundum regi : ~ *HM* || 31 nemo : immo *B* || socios : + eius *R* || 52 dixerit : dixerim *B* || geratur : -antur *B* || 33 hi : hii *g B P* || tamen : + et *P* || 34 ille : -o *P* || 35 praeses : praesens *HM* parens *B* || uniuersi : uniuersitatis *B* || scit : fecit *B* || rerum omnium : rerum filio suo omnium *P* || 36 in : *om.* B^1 *corr.* B^3

1. Dès le IIe siècle, *maleficus* est pratiquement employé pour désigner

4. Mais les mages, et ceux que le peuple appelle, avec raison, les maléfiques[1], puisqu'ils exercent des pratiques exécrables, évoquent ces êtres par leurs noms véritables, les noms célestes qu'on lit dans les livres sacrés.

Ils font confondre Dieu et Jupiter

5. Ces esprits impurs et errants, cherchant à perturber toutes choses et à répandre l'erreur dans le cœur des hommes, sèment le faux en le mêlant au vrai. Ce sont eux qui ont fait croire, en effet, qu'il y avait un grand nombre d'esprits célestes, et, pour tous, un unique roi, Jupiter : cela parce qu'il y a dans le ciel les nombreux esprits des anges et un seul seigneur et père de tous, Dieu ; mais, en la cachant derrière ces noms mensongers, ils ont enlevé la vérité de la vue des hommes. **6.** Car Dieu, comme je l'ai expliqué au commencement, n'a pas besoin de nom, puisqu'il est seul ; et les anges, bien qu'ils soient immortels, ne supportent ni n'acceptent d'être appelés des dieux. Leur simple et unique fonction est d'accomplir les volontés de Dieu et de ne rien faire sans son ordre. **7.** Car nous affirmons que le monde est dirigé par Dieu comme une province par son gouverneur : nul n'irait prétendre que ses fonctionnaires sont ses associés dans le gouvernement de la province, bien que l'ensemble soit conduit par leur service. **8.** Et encore ceux-ci peuvent-ils parfois aller contre les ordres du gouverneur, à cause de son ignorance, qui tient à sa condition humaine ; tandis que ce chef du monde, maître de l'univers, qui sait toutes choses, aux yeux divins de qui rien n'est caché, détient à lui seul le pouvoir sur toutes choses, et les anges n'ont pas d'autre possibilité que de lui obéir. **9.** C'est pourquoi ils ne veulent recevoir aucun

les *magi*. Tous les auteurs qui utilisent le mot prennent la précaution, comme Lactance, d'ajouter qu'il s'agit d'un terme populaire (*DIG.* 8,16,4 ; HIER. *in Dan.* 2,2 ; AVG. *ciu.* 10,9).

uolunt, quorum honor omnis in Deo est. Illi autem qu
40 desciuerunt a Dei ministerio, quia sunt ueritatis inimici e
praeuaricatores Dei, nomen sibi et cultum deorum uindi
care conantur, non quo ullum honorem desiderent – qui
enim perditis honor est? –, nec ut Deo noceant, cui nocer
non potest, sed ut hominibus : quos nituntur a cultu e
45 notitia uerae maiestatis auertere, ne immortalitatem possin
adipisci, quam ipsi sua nequitia perdiderunt.

10. Offundunt itaque tenebras et ueritatem caligin
obducunt, ne dominum, ne patrem suum norint, et, u
facile illiciant, in templis se occulunt et sacrificiis omnibu
50 praesto adsunt eduntque saepe prodigia, quibus obstupe
facti homines fidem commodent simulacris diuinitatis a
numinis. **11.** Inde est quod ab augure lapis nouacul
incisus est, quod Iuno Veiens migrare se Romam uell
respondit, quod Fortuna Muliebris periculum denuntiauit
55 quod Claudiae manum nauis secuta est, quod in sacrilego
et Iuno nudata et Locrensis Proserpina et Ceres Milesi
uindicauit, et Hercules de Appio et Iuppiter de Atinio e
Minerua de Caesare, hinc quod serpens urbem Roman
pestilentia liberauit Epidauro accersitus. **12.** Nam illu
60 daemoniarches ipse in figura sua sine ulla dissimulation

FONTES : 11 *Cf. supra* 7,8-20

39 omnis : *om. g V* || est illi : est per angelos refugas fieri prodigi responsa in templis dari nocentes plerumque puniri ut his monstri atque terroribus adhibitis ipsi dii putentur illi *P* || 40 quia : qui *B*[1] *corr. B* || 41 et : *om. B*[1] *add. B*[3] || 43 deo : -um *HM P V* || 44 ut : *om. B*[1] *add. B*[3] || 4 possint : -ent *B V*[1] || 46 quam : qua *HM* || 47 offundunt : offendunt *V*[1] ueritatem : -tis *R* || 48 dominum : deum *HM* || ne[2] : et *P* ac *g om. V*[1] || 4 illiciant : inliceant *B* || occulunt : occultunt *V*[1] -tant *V*[2] || 50 adsunt sunt *B* || 51 commodent : commendent *M* || 52 augure : haruspice *B* || 5 quod : quo *B*[1] *corr. B*[3] || ueiens : ueiensis *B* uegiens *HM* ueniens *g* || 54 muliebris : mulieris *HM* || 56 locrensis : lucrensis *B* || 57 hercules : -is *P* 58 de : e *H* et *M* || hinc : + est *HM* || 59 pestilentia : pestilicentia *V* accersitus : arcessitus *H* || 59 illuc : illud *HM V*[1]

honneur, puisque tout leur honneur est en Dieu. Au contraire, ceux qui ont abandonné le service de Dieu, parce qu'ils sont des ennemis de la vérité et des traîtres à la loi de Dieu, revendiquent avec vigueur le titre de dieux, ainsi qu'un culte : non pas parce qu'ils désirent quelque honneur – quel honneur y a-t-il pour des êtres perdus? –, ni pour nuire à Dieu, à qui on ne peut pas nuire, mais pour nuire aux hommes : ils s'efforcent de les détourner de la connaissance de la véritable majesté, pour qu'ils ne puissent obtenir l'immortalité qu'ils ont eux-mêmes perdue par leur méchanceté.

Les démons à l'origine des prodiges

10. Alors ils répandent sur eux les ténèbres et recouvrent la vérité de brouillards pour les empêcher de connaître leur seigneur et père; et, pour les surprendre plus facilement, il se cachent dans les temples, assistent à tous les sacrifices et suscitent souvent des prodiges qui frappent les hommes de terreur et les conduisent à faire crédit aux représentations d'un dieu ou d'une puissance divine. **11.** C'est ainsi qu'un augure a pu couper une pierre avec un rasoir, que la Junon de Véies a répondu qu'elle voulait bien s'en aller à Rome, que Fortuna Muliebris a annoncé un danger; qu'un navire a obéi à la main de Claudia, que Junon dépouillée, Proserpine de Locres et Cérès de Milet ont tiré vengeance des sacrilèges, qu'Hercule s'est vengé d'Appius, Jupiter d'Atinius et Minerve de César; c'est ainsi qu'un serpent amené d'Épidaure a libéré Rome d'une épidémie[1]. **12.** Car c'est le chef des démons lui-même qui a été amené, sans se cacher, sous sa véritable forme, puisque ceux qu'on avait envoyés

1. Tous ces prodiges ont déjà été évoqués plus haut (7,12).

perlatus est[a], siquidem legati ad eam rem missi draconem secum mirae magnitudinis adtulerunt.

13. In oraculis autem uel maxime fallunt, quorum praestigias profani a ueritate intellegere non possunt, ideoque ab
65 ipsis adtribui putant et imperia et uictorias et opes et euentus prosperos rerum, denique ipsorum nutu saepe rempublicam periculis imminentibus liberatam, quae pericula et responsis denuntiauerint et sacrificiis placati auerterint. **14.** Sed omnia ista fallaciae sunt. Nam, cum disposi-
70 tiones Dei praesentiant, quippe qui ministri eius fuerunt, interponunt se in his rebus, ut quaecumque a Deo uel facta sunt uel fiunt, ipsi potissimum facere aut fecisse uideantur, et quotiens alicui populo uel urbi secundum Dei statutum boni quid impendet, illi se id facturos uel prodigiis uel
75 somniis uel oraculis pollicentur, si sibi templa, si honores, si sacrificia tribuantur. Quibus datis cum illud acciderit quod necesse est, summam sibi pariunt uenerationem. **15.** Hinc templa deuouentur et nouae imagines consecrantur, mactantur greges hostiarum, sed cum haec facta
80 sunt, nihilo minus tamen uita et salus eorum qui haec fecerint immolatur. **16.** Quotiens autem pericula impendent, ob aliquam se ineptam et leuem causam profitentur iratos, sicut Iuno Varroni, quod formosum puerum in

FONTES : **16** *Cf.* VAL. MAX. 1,1,16

62 adtulerunt : atuexerunt *P* aduexerunt *g Br.* || 64 praestigias : prestrigias *P Br.* || ueritate : -em *B*¹ *corr.* *B*³ || 65 ab ipsis : *om.* R¹ || 66 ipsorum : horum *B* || nutu : nuntiis *B*¹ *corr.* *B*³ || 68 auerterint : -erunt *HM* -erent *V* || 70 praesentiant : praesentiarum *B*¹ || 71 his : *om.* *B*¹ hiis *g* || deo : dño *P* || uel : *om.* *B P* || 72 fiunt : sunt *B*¹ *corr.* *B*³ || aut : ut *V*¹ uel *g* || 73 et quotiens... secundum : *om.* *B*¹ *add.* *B*³ || dei : de *B*¹ dî *B*³ || statutum : statu *B* || 74 quid : quod *B*¹ *corr.* *B*³ || somniis : somnis *HM* || 75 si¹ : ut *HM* || si² : sibi *HM* || si³ : sibi *HM* || 78 deuouentur : deuoluentur *HM* || 80 sunt : erunt *B* || uita : eorum R¹ *qui del.* || qui : quae *M* || 81 fecerint : fecerit *P* || 82 se : *transp. post* causam *g P* || 83 sicut iuno : sicuti *B* || uarroni : -is *V*¹ || formosum : formonsum *B HM V Br.* || in tensa : intentas *V* || in tensa iouis : infensoouis *B*¹ *corr.* *B*³

là-bas à cette fin ramenèrent avec eux un serpent de taille prodigieuse.

Les démons à l'origine des oracles

13. Ils trompent surtout dans le domaine des oracles, dont les mensonges ne peuvent être décelés par ceux qui ignorent la vérité, et qui, pour cette raison, croient que ceux-ci décident des pouvoirs, des victoires, des richesses et des succès, que c'est également par leur bon vouloir que souvent l'état a été libéré des périls qui le menaçaient, une fois ces périls annoncés par leurs réponses et conjurés par des sacrifices. **14.** Mais tout cela n'est que tromperie. En effet, étant donné qu'ils connaissent à l'avance les dispositions de Dieu, puisqu'ils ont été ses serviteurs, ils s'y insèrent de façon que, pour tout ce qui a été fait ou est fait par Dieu, on ait plutôt l'impression que c'est eux qui font ou qui ont fait. Et chaque fois que quelque chose de bon doit arriver à un peuple ou à une cité, en vertu du plan de Dieu, les voici qui promettent, par des prodiges, des songes ou des oracles, qu'ils vont l'accomplir, pour peu qu'on leur offre temples, honneurs, sacrifices. Quand ils ont reçu cela, et qu'est arrivé ce qui devait nécessairement arriver, ils en tirent la plus grande vénération. **15.** Alors, on leur consacre des temples, on leur dédie de nouvelles statues, on leur sacrifie des troupeaux de victimes. Mais, quand on a fait cela, la vie et le salut de ceux qui l'ont fait n'en sont pas moins sacrifiés. **16.** Et, chaque fois que ce sont des périls qui menacent, ils proclament qu'ils ont été fâchés, pour une cause inepte et futile, comme c'est le cas de Junon à l'encontre de Varron : celui-ci avait installé un joli garçon

a. Gen. 3, 1.

tensa Iouis ad exuuias tenendas collocauerat : et ob hanc
85 causam Romanum nomen apud Cannas paene deletum
est. **17.** Quodsi Iuno alterum Ganymeden uerebatur,
cur iuuentus Romana luit poenas? uel si dii tantummodo
duces curant, ceteram multitudinem neglegunt, cur Varro
solus euasit qui hoc fecit, et Paulus qui nihil meruit occisus
90 est? Videlicet nihil tunc Romanis accidit «fatis Iunonis
iniquae» cum Hannibal duos exercitus populi Romani astu
et uirtute confecit. **18.** Nam Iuno audere non poterat aut
Carthaginem defendere, ubi arma eius et currus fuit, aut
Romanis nocere, quia

95 «Progeniem... Troiano a sanguine duci
Audierat, Tyrias olim quae uerteret arces.»

19. Sed illorum sunt isti lusus qui sub nominibus mortuorum delitiscentes uiuentibus plagas tendunt. Itaque
siue illud periculum quod imminet uitari potest, uideri
100 uolunt id placati auertisse, siue non potest, id agunt ut
propter illorum contemptum accidisse uideatur. Ita sibi
apud homines qui eos nesciunt auctoritatem pariunt ac
timorem. **20.** Hac uersutia et his artibus notitiam Dei
ueri et singularis apud omnes gentes inueterauerunt. Suis
105 enim uitiis perditi saeuiunt et grassantur ut perdant.

FONTES : **17** VERG. *Aen.* 8,292 **18** *Cf.* VERG. *Aen.* 1,16-17; VERG. *Aen.* 1,19-20

84 tenendas : tendendas *HM* || collocauerat : conlocarat *B* || 86 est : *om.* *V* || 88 neglegunt : -untur *V*[1] || cur : cum *B*[1] *(corr. B*[3]*)* *V* || 90 fatis : factis *P* || 91 astu : actu *HM* et astu *V Br. dubitanter, cf. add. p. CXIII.* || 92 non : *om.* *V* || aut : ut *P*[1] || 95 a : *om.* *V*[1] || duci : deduci *HM* || 96 uerteret : uerterat *HM* euerteret *g P* || 98 delitiscentes : -tis *B*[1] *corr.* *B*[3] deli- *R* dili- *g* || uiuentibus : hominibus *V* || 99 uideri : uitari : *V*[1] || 101 illo]rum : *hinc denuo inc.* *G* ||

Rg BG HM PV

103 et (his) : *om.* *BG* || 104 apud : *om.* *B* || inueterauerunt : cf. p. 219 || 105 saeuiunt : çuiunt *V*[1] seruiunt *G* || grassantur : rassantur *H*[1]

sur le char de Jupiter pour présenter les offrandes : et voilà pourquoi le nom romain a failli disparaître près de Cannes[1] ! **17.** Si Junon redoutait un second Ganymède, pourquoi est-ce la jeunesse romaine qui a été punie ? Ou bien, si les dieux ne s'intéressent qu'aux généraux et négligent le gros de la troupe, pourquoi Varron, qui avait fait cela, fut-il le seul à s'échapper, tandis que Paulus, qui n'avait pas démérité, a été tué ? Il est clair que rien n'est arrivé alors aux Romains « par le pouvoir de l'injuste Junon », quand Hannibal, lui, par sa ruse et par son courage, a détruit deux armées du peuple romain. **18.** Car Junon ne pouvait se risquer à abandonner Carthage, où se trouvaient ses armes et son char, ni à faire du mal aux Romains, car « elle avait entendu dire que, du sang troyen, une race naissait qui renverserait un jour les citadelles tyriennes[2]. » **19.** En fait, il s'agit là de jeux de ces êtres qui, dissimulés derrière des noms de défunts, tendent des pièges aux vivants. Ainsi, ou bien le danger qui menace peut être évité, et ils veulent faire croire qu'ils l'ont détourné parce qu'on les a apaisés, ou bien il ne peut l'être, et ils font en sorte qu'il paraisse être arrivé parce qu'on les a méprisés. C'est ainsi qu'ils établissent leur autorité sur ceux qui ne les connaissent pas, et qu'ils les terrorisent. **20.** C'est par cette astuce et ces expédients qu'ils ont affaibli chez toutes les nations la connaissance du Dieu unique et véritable. Perdus par leurs propres vices, ils se démènent et s'agitent

1. Sur cette interprétation du désastre de Cannes, cf. notre article « Lactance contre Junon : de la polémique au dialogue avec les païens », dans *Hommages à Jean Cousin, Annales littéraires de l'Université de Besançon,* Paris 1983, p. 259-270.

2. Dans le texte de Virgile, Lactance supprime *sed enim* pour intégrer le vers dans sa phrase (cf. A. GOULON, « Les citations... », dans *Lactance et son temps,* p. 126).

21. Idcirco etiam humanas *hostias* excogitauerunt, ipsi *hostes* generis humani, ut quam multas deuorent animas.

CAPVT XVII

1. Dicet aliquis : «Cur ergo Deus haec fieri patitur, nec tam malis succurrit erroribus?» Vt mala cum bonis pugnent, ut uitia sint aduersa uirtutibus, ut habeat alios quos puniat, alios quos honoret. Vltimis enim temporibus
5 statuit de uiuis ac mortuis iudicare; de quo iudicio mihi erit in ultimo libro disputatio. **2.** Differt igitur, donec ueniat temporum finis, quo effundat iram suam in potestate ac uirtute caelesti, sicut

«... uatum praedicta priorum
10 terribili monitu horrificant».

3. Nunc autem patitur homines errare et aduersum se quoque impios esse, ipse iustus et mitis et patiens. Nec enim fieri potest ut non is in quo perfecta sit uirtus, sit etiam perfecta sapientia. **4.** Vnde quidam putant ne irasci
15 quidem Deum omnino, quod adfectibus, qui sunt perturbationes animi, subiectus non sit, quia fragile est omne animal quod adficitur et commouetur. Quae persuasio ueritatem ac religionem funditus tollit. **5.** Sed seponatur interim nobis hic locus de ira Dei disserendi, quod et
20 uberior est materia et opere proprio latius exequenda. Illos

FONTES : **2** VERG. *Aen.* 4,464-465

1 dicet : -it *BG HM* || 3 ut[1] : et *HM* || 5 habeat : -eant *P* || 5 ac : et *P* || 6 in : *om.* *V*[1] || disputatio : disputandum R || igitur : ergo *P* || 9 uatum : *om.* *P* || priorum : piorum R *PV Br. cf.* p. 219 || 11 aduersum : -us *G* || 12 esse : + et *HM* || mitis : mittis R || 13 is : his *HM* his sit *G* || 14 ne : nec R[1] || 15 quod : quia *BG* || 17 quae : qua *H*[1] || 18 ac : atque R || 19 dei : *om.* R *G HM PV* || 20 uberior : uberi B[1] *corr.* B[3]

1. Le *De ira Dei*, publié dans cette collection par C. Ingremeau (*SC* 289).

pour perdre les hommes. **21.** Ils ont même eu l'idée des sacrifices humains, eux qui sont les ennemis du genre humain, afin de dévorer le plus d'âmes possible.

CHAPITRE XVII

Dieu laisse les démons mettre l'homme à l'épreuve

1. On dira : «Pourquoi alors Dieu laisse-t-il faire tout cela et n'empêche-t-il pas des erreurs si nuisibles?» – Il faut que les maux luttent avec les biens, que les vices s'opposent aux vertus, pour qu'il ait des hommes à punir, des hommes à récompenser. En effet, il a décidé qu'aux derniers jours, il jugerait les vivants et les morts. De ce jugement, je traiterai dans le dernier livre. **2.** Il repousse donc, jusqu'à ce que revienne la fin des temps, le moment où, dans sa puissance et son pouvoir célestes, il exercera sa colère, comme «l'annoncent les prédictions des anciens devins, qui épouvantent par leur terrible avertissement». **3.** Mais, pour le moment, il supporte que les hommes se trompent et même se conduisent en impies à son égard, alors qu'il est lui-même juste, doux et patient. Car il n'est pas possible que chez un être en qui se trouve la vertu parfaite, ne se trouve pas également une patience parfaite. **4.** Voilà pourquoi certains pensent que Dieu ne connaît même pas du tout la colère, étant donné qu'il n'est pas soumis aux passions, qui sont des perturbations de l'âme, car tout être qui est soumis à la passion et aux émotions est nécessairement fragile. Mais pareille croyance fait totalement disparaître la vérité et la religion. **5.** Repoussons cependant à plus tard ce sujet d'exposé sur la colère de Dieu, car la matière est fort abondante et exige d'être exposée plus longuement dans un ouvrage spécial[1]. Donc,

ergo nequissimos spiritus quisquis ueneratus fuerit ac secutus, neque caelo neque luce potietur, quae sunt Dei, sed in illa decidet quae in distributione rerum adtributa esse ipsi malorum principi disputauimus, in tenebras sci-
25 licet et inferos et supplicium sempiternum.

6. Docui religiones deorum triplici modo uanas esse : uno, quod simulacra ista quae coluntur effigies sint hominum mortuorum; esse autem peruersum et incongruens ut simulacrum hominis a simulacro Dei[a] colatur :
30 colit enim quod est deterius et imbecillius; **7.** tum inexpiabile facinus esse deserere uiuentem, ut defunctorum monumentis seruias, qui nec uitam nec lucem dare cuiquam possunt qua ipsi carent; nec esse alium quemquam Deum praeter unum, cuius iudicio ac potestati omnis
35 anima subiecta sit.

8. Altero, quod ipsae imagines sacrae, quibus homines inanissimi seruiunt, omni sensu careant, quoniam terra sint. **9.** Quis autem non intellegat nefas esse rectum animal curuari ut adoret terram? Quae idcirco pedibus
40 nostris subiecta est ut calcanda nobis, non adoranda sit, qui sumus ideo excitati ex ea statumque sublimem praeter ceteras animantes acceperimus, ut non reuoluamur deorsum nec hunc caelestem uultum proiciamus ad terram,

21 nequissimos : -o *P*1 || quisquis : quisque *V* || 22 ac secutus : *om. H*1 || 23 decidet : incidet *g* || 24 scilicet : *om. B* || 25 et : *om. HM* || 26 uanas : una *B*1 *corr. B*3 || 27 coluntur : colunt *HM* + et *P* || 29 simulacrum : -a *P* || a simulacro dei colatur : quasi deus colatur *P* || dei : dô *V*1 || 30 colit : -et *HM P*1 -ent *B* || 31 ut : et *HM* || 32 monumentis : monimentis *H* || cuiquam : *om. V* || 33 qua : quia *P*1 *V*1 || nec esse alium : necessarium *V*1 esse alium *add. V*2 || quemquam deum : ~ *H*1*M* || 36 altero : -um *HM* || ipsae : -e *BG Rg PV* || quibus : *om. P*1 || homines : omnes *P* || 37 inanissimi : uanissimi *R* || seruiunt : *om.* R || terra sint : terra sit *PV* terra si *B*1 *corr. B*3 sunt terra si *G* || 38 quis : qui *HM* || 39 quae : neque *B*1 *corr. B*3 || 41 sumus : simus *g BG PV Br. uide Heck* p. 183 || ex : *om. P*1 ut *V*1 ab *V*2 || 42 acceperimus : accepimus R || 43 nec : ne *HM* caelestem] : *hic des. G*

quiconque aura vénéré et suivi ces esprits méchants ne pourra gagner ni le ciel ni la lumière, qui sont du domaine de Dieu, mais il tombera en des lieux qui, lors de la répartition des choses, ont été attribués, comme nous l'avons montré[1], au prince du mal, c'est-à-dire dans les ténèbres, les enfers et le supplice éternel.

Résumé du livre

6. J'ai montré que les religions des dieux étaient vaines pour trois raisons : la première, c'est que les images qui font l'objet d'un culte sont des reproductions d'hommes qui sont morts; or il est stupide et illogique que l'image d'un homme reçoive un culte de la part d'une image de Dieu : ce qui rend un culte, c'est ce qui est inférieur et plus faible; 7. c'est un crime inexpiable d'abandonner un être vivant pour se mettre au service de monuments consacrés à des défunts qui ne peuvent donner, à qui que ce soit, ni la vie ni la lumière dont ils sont eux-mêmes privés; et il n'y a pas d'autre dieu que le Dieu unique, au jugement et au pouvoir de qui toute âme est soumise.

8. La seconde raison, c'est que ces mêmes images sacrées, dont certains hommes totalement stupides se font les esclaves, n'éprouvent aucune sensation, puisqu'elles sont de terre. 9. Qui ne comprendrait qu'il est sacrilège qu'un être qui se tient droit en vienne à se courber pour adorer de la terre? Celle-ci a été placée sous nos pieds pour que nous la foulions et non pour que nous l'adorions : car, si nous avons été tirés d'elle, et si nous avons reçu, à la différence des autres êtres vivants, la station droite, ce n'est pas pour que nous nous recourbions vers le sol et que nous tournions vers la terre notre visage céleste, mais pour que

a. Gen. 1, 26-27.

1. Cf. *supra* 9,3-6; 11.

sed oculos eo dirigamus quo illos naturae suae condicio
45 direxit nihilque aliud adoremus, nihil colamus, nisi solius artificis parentisque nostri unicum nomen, qui propterea hominem rigidum figurauit ut sciamus nos ad superna et caelestia prouocari.

10. Tertio, quod spiritus qui praesunt ipsis religionibus
50 condemnati et abiecti a Deo per terram uolutentur; qui non tantum nihil praestare cultoribus suis possint, quoniam rerum potestas penes unum est, uerum etiam mortiferis eos illecebris et erroribus perdant, quoniam hoc illis cottidianum sit opus, tenebras hominibus obducere, ne
55 quaeratur ab hiis uerus Deus. **11.** Non igitur colendi sunt, quia sententiae Dei subiacent. Est enim piaculum maximum addicere se potestati eorum quibus, si iustitiam sequare, potentior esse possis, et eos adiuratione diuini nominis expellere ac fugare.

60 **12.** Quodsi apparet religiones istas tot modis esse uanas quibus docui, manifestum est eos qui uel mortuis supplicant uel terram uenerantur uel spiritibus impuris animas suas mancipant, rationem hominum non tenere eosque impietatis ac sceleris sui supplicia pensuros, qui rebelles
65 aduersus parentem generis humani Deum, susceptis inexpiabilibus sacris, fas omne uiolauerint.

Rg B HM PV

44 oculos : *om.* *V* || 44 dirigamus : derigamus *H* || quo : quos *g* || 46 parentisque : parentis B^1 *corr.* B^3 || et : + ad R || 49 praesunt : sunt *B* || 51 possint : possunt *B PV* || 52 mortiferis : -as P^1 || 54 sit : est *B* || hominibus : omnibus *P* || 55 ab : ad *HM* || his : hiis *g P* iis *Br.* || 56 quia : quoniam *B* || 57 se : *om.* *g* || 61 est (eos) : et B^1 || 62 uel^2 : *om.* *B* || impuris : immundis *B* inportunis *HM* || 63 mancipant : mancipantes *B* || rationem : -e *HM* || tenere : teneri *HM* || 65 aduersus : -um *B* || inexpiabilibus : inexplicabilibus *R*

nous dirigions nos regards là où les a dirigés la conception de leur nature, et que nous n'adorions, que nous n'honorions rien d'autre que le nom unique de notre seul fabricateur et père, qui a donné à l'homme un maintien vertical pour que nous nous sachions appelés aux réalités supérieures et célestes.

10. La troisième raison, c'est que les esprits qui inspirent ces religions, condamnés et rejetés par Dieu, se vautrent sur la terre. Ainsi, non seulement ils ne peuvent rien apporter à leurs adorateurs, puisque la puissance sur toutes choses est entre les mains d'un seul, mais encore ils les perdent par des illusions et des erreurs mortelles, puisque leur occupation de chaque jour consiste à répandre les ténèbres sur les hommes, pour qu'ils ne recherchent pas le vrai Dieu. **11.** Il ne faut donc pas leur rendre un culte, puisqu'ils sont placés sous le pouvoir de Dieu. C'est, en effet, une très profonde déchéance de se soumettre au pouvoir de ceux que l'on pourrait surpasser en puissance si l'on suivait la justice, et que l'on pourrait chasser et mettre en fuite en les adjurant au nom de Dieu.

12. S'il est clair que ces religions sont vaines pour autant de raisons que je viens de le démontrer, il est évident que ceux qui adressent des supplications aux morts, qui vénèrent de la terre, ou qui vendent leurs âmes à des esprits impurs, ne gardent pas leur condition d'hommes et qu'ils auront à expier dans les supplices leur impiété et leurs crimes, eux qui, en se dressant contre Dieu, père du genre humain, et en adoptant des rites inexpiables, ont violé tout ce qui est sacré.

CAPVT XVIII

1. Quicumque igitur sacramentum hominis tueri rationemque naturae suae nititur obtinere, ipse se ab humo suscitet et erecta mente oculos suos tendat in caelum. Non sub pedibus Deum quaerat nec a uestigiis suis eruat quod 5 adoret, quia quidquid homini subiacet, infra hominem sit necesse est : sed quaerat in sublimi, quaerat in summo, quia nihil potest esse homine maius nisi quod fuerit supra hominem. Deus autem maior est homine : supra ergo, non infra est, nec in ima potius, sed in summa regione 10 quaerendus est. **2.** Quare non est dubium quin religio nulla sit ubicumque simulacrum est. Nam si religio ex diuinis rebus est, diuini autem nihil est nisi in rebus caelestibus, carent ergo religione simulacra, quia nihil potest esse caeleste in ea re quae fit ex terra. Quod quidem 15 de nomine ipso apparere sapienti potest. **3.** Quidquid enim simulatur, id falsum sit necesse est, nec potest umquam ueri nomen accipere quod ueritatem fuco et imitatione mentitur. Si autem omnis imitatio non res potissimum seria, sed quasi ludus ac iocus est, non religio 20 in simulacris, sed mimus religionis est. **4.** Praeferendum est igitur falsis omnibus uerum, calcanda terrena, ut caelestia consequamur. **5.** Ita enim se res habet ut quisquis animam suam, cuius origo de caelo est, ad inferna et

FONTES : 3 *Cf.* SEN. *epist.* 26,5

1 rationemque : rationeque *H* ratione quae *M* rationem quae *P*[1] || 2 naturae : *om. B* || se : *om.* R || 3 et : *om. B*[1] *add. B*[3] || 4 eruat : erigat *HM* || 5 infra : intra *HM P* || hominem : -es *V* || 7 maius : melius *B*[1] *corr. B*[3] || 8 maior : si maior *B* maius *PV* || 9 regione : religione *HM* || 11 ex : *om.* R || 12 diuinis : -ni *P*[1] + in R || 12 in : e *B*[1] *corr. B*[3] || 13 carent : apparent *B* || 14 fit : fuit *B*[1] *corr. B*[3] || quod... potest : *om. B* || 16 enim : *om. g V* || 17 fuco : facie *B* || 18 mentitur : metitur *V*[1] || 19 ludus ac : luctus *g* || 22 habet : -ent *B* || 23 inferna : -am *P*[1]

1. *Sacramentum :* la raison pour laquelle Dieu a créé l'homme

CHAPITRE XVIII

La religion est élévation

1. Donc, quiconque s'efforce de pénétrer le mystère de l'homme[1] et de tenir compte de sa nature, devra se lever lui-même de la terre, dresser son esprit et diriger ses regards vers le ciel. Qu'il ne cherche pas un dieu sous ses pieds, qu'il ne fouille pas pour trouver sous ses pas ce qu'il adorera, car tout ce qui se trouve plus bas que l'homme est nécessairement inférieur à l'homme; mais qu'il cherche dans le ciel, qu'il cherche au plus haut, car rien ne peut être plus grand que l'homme, sinon ce qui est au-dessus de l'homme. Or Dieu est plus grand que l'homme : il est donc au-dessus de lui et non au-dessous, et ce n'est pas dans les régions basses, mais dans les régions élevées qu'il faut de préférence le chercher. **2.** Dès lors, il n'est pas douteux qu'il n'y a aucune religion partout où se trouve une statue. Car si la religion vient des réalités divines, et qu'il n'y a de divin que dans les choses célestes, les statues n'ont alors aucun caractère religieux, car il ne peut rien y avoir de céleste dans une chose qui est faite à partir de la terre. Et cela peut même apparaître au sage simplement à partir du mot. **3.** En effet, tout ce qui est simulé est nécessairement faux, et ce qui imite la vérité par le fard et le mensonge ne peut recevoir le nom de vérité. Or si toute imitation n'est pas une chose absolument sérieuse, mais une sorte de jeu et de plaisanterie, il n'y a pas de religion dans les simulacres, mais une imitation de religion. **4.** Il faut donc préférer le vrai à tout ce qui est faux, il faut fouler ce qui est terrestre pour obtenir ce qui est céleste. **5.** En effet, notre situation est telle que quiconque aura abaissé son âme, qui tire son origine du ciel,

cf. V. Loi, *Per la storia del vocabolo sacramentum in Lattanzio*, *VChr.*, 18, 1964, p. 85-107.

ima prostrauerit, eo cadat quo se ipse deiecerit, ideoque
25 oportet rationis ac status sui memorem non nisi ad superna
niti semper ac tendere. **6.** Quod qui fecerit, hic plane
sapiens, hic iustus, hic homo; hic denique caelo dignus
iudicabitur, quem suus parens non humilem nec ad terram
more quadrupedis abiectum, sed stantem potius ac rectum,
30 sicut eum fecit, adgnouerit.

CAPVT XIX

1. Peracta est, nisi fallor, magna et difficilis suscepti
operis portio et, maiestate caelesti suggerente nobis
dicendi facultatem, inueteratos depulimus errores.
2. Nunc uero maior nobis ac difficilior cum philosophis
5 proposita luctatio est, quorum summa doctrina et elo-
quentia quasi moles aliqua mihi opponitur. **3.** Nam ut
illic multitudine ac prope consensu omnium gentium
premebamur, ita hic auctoritate praestantium omni genere
laudis uirorum. **4.** Quis autem nesciat plus esse momenti
10 in paucioribus doctis quam in pluribus imperitis? **5.** Sed
non est desperandum istos quoque de sententia, Deo et
ueritate ducibus, posse depelli, nec tam pertinaces fore
arbitror ut clarissimum solem sanis ac patentibus oculis
uidere se negent. **6.** Modo illud uerum sit quod ipsi

25 rationis : -es P^1 || status : statutus V^1 || semper ac tendere : semper adtendere B^1 ac *add.* B^2 || 26 quod [qui : *hinc denuo inc. G*

Rg BG HM PV

27 hic[1] : *om.* *g HM* || 29 quadrupedis : quadripedis *P* || stantem instantem *V* || 30 fecit : fecerit B^1 *(corr.* B^3*)* *g*

1 nisi : ni *H* || 2 caelesti : -e B^1 *(corr.* B^3*)* *G* || 4 nobis : *om.* B^1 *add.* B *post* difficilior || 6 quasi : quales B^1 *corr.* B^3 || mihi : *om.* *P* || 7 illic : illoc B *corr.* B^3 illuc *V* || multitudine : -em *HM* || prope : paene *BG H* consensu : -um *HM* || 8 premebamur : premebatur *g* praemebatur I ueritas premebatur *BG P* || 9 nesciat : nescit B^1 *corr.* B^3 || 11 deo.. ducibus : dei et ueritate *HM* || 13 solem : sole V^1

jusqu'au plus profond des bas-fonds, tombera là où il se sera jeté lui-même, et c'est pourquoi il faut se souvenir de sa condition et de son état, et consacrer sans cesse ses efforts à viser les choses les plus élevées. **6.** Celui qui fera cela, c'est lui le sage, c'est lui le juste, c'est lui l'homme! Celui-là, enfin, sera jugé digne du ciel, que son père aura pu reconnaître, non pas couché et vautré sur le sol à la manière des quadrupèdes, mais plutôt debout et dressé, comme il l'a lui-même fabriqué.

CHAPITRE XIX

Annonce du Livre III

1. Voilà terminée, sauf erreur, une grande et importante partie de l'œuvre entreprise, et, comme la puissance divine nous a donné de l'éloquence, nous avons détruit les vieilles erreurs. **2.** Maintenant, c'est un combat plus important et plus difficile qui nous est proposé, contre les philosophes, dont la doctrine souveraine et l'éloquence se dressent devant moi comme une sorte de digue. **3.** En effet, de même que, plus haut, nous étions écrasés par le nombre et l'accord presque unanime des nations, de même ici nous le sommes par l'autorité de personnages remarquables par toutes sortes de mérites. **4.** Et qui ignorerait qu'il y a plus de poids chez un petit nombre de savants que chez un grand nombre d'ignorants? **5.** Il ne faut toutefois pas désespérer de pouvoir, sous la conduite de Dieu et de la vérité, les faire renoncer à leur doctrine, et je pense qu'ils ne seront pas assez entêtés pour dire qu'avec des yeux sains et ouverts ils ne voient pas le soleil dans sa plus grande clarté[1]. **6.** Il suffit que reste

1. Expression proverbiale : cf. A. OTTO, *Sprichwörter...*, p. 326.

15 solent profiteri, studio inuestigandae ueritatis se teneri, efficiam profecto ut quaesitam ueritatem diu et aliquando inuentam esse credant et humanis ingeniis inueniri non potuisse fateantur.

15 se : sese R *om.* *P* || 16 efficiam : -ant *HM* || profecto : *om.* *P* || 17 inuentam esse : ~ *g* || inueniri : -ire R || 18 potuisse : posse *BG* *Subscriptiones : om.* *R* explicit liber secundus de origine erroris *g* liber secundus explicit *B* L. Caeli Firmiani Lactantii de origine erroris liber secundus explicit *G* Firmiani Lactanti de falsa religione deorum liber II explicit *H om.* *M* de origine erroris liber secundus explicit *P* xplicit *(sic)* liber II *V*²

vrai ce qu'ils affirment sans cesse eux-mêmes, c'est-à-dire qu'ils sont possédés par le désir de découvrir la vérité : dans ce cas, je ferai certainement en sorte qu'ils croient avoir enfin trouvé la vérité recherchée longtemps et partout, et reconnaissent qu'ils n'avaient pu la trouver par leurs seules facultés humaines.

NOTES SUR LE TEXTE*

2, 16 S. Brandt ajoute *uana;* toutefois, dans les *addenda,* p. CXII, il propose de reprendre une correction de Hartel, *per<uersa per>suasione,* qui rend mieux compte du mécanisme d'une éventuelle faute. Mais, dans un contexte qui dénonce l'entêtement de l'adversaire, *persuasio* peut très bien suffire à désigner une conviction stupide (cf. Th. STANGL, *Lactantiana...,* p. 231).

2, 16 Nous conservons *fucum* des manuscrits contre la correction *sucum,* retenue par S. Brandt, et qui ne s'impose pas : le *fucus* donnait une teinture *liquide*. Le terme peut donc très bien servir de complément à *perbiberunt*.

2, 18 Nous écrivons *terras* avec la plupart des manuscrits de Lactance. Telle est d'ailleurs la leçon retenue par L. Hermann dans son édition de Perse (coll. Latomus 69, 1962). Lactance commente ce texte un peu plus loin en construisant, avec l'accusatif, *in terram curuamini*. Il a fort bien pu modifier ce texte, s'il l'avait reçu avec l'ablatif *terris,* pour reprocher aux hommes un *mouvement* qu'ils font vers le sol, alors que, s'il ne présentait qu'une *attitude* inclinée, le reproche jaillirait sur le créateur, et cela irait à l'encontre de l'ensemble du livre II.

3, 8 S. Brandt coupe la phrase après *necesse est,* et doit donc commencer la phrase suivante par un indicatif, *nec mirandum est*.

* Dans le cas des citations faites par Lactance, nous donnons le texte que nous semble imposer la tradition manuscrite lactantienne, au contraire de S. Brandt, qui, bien souvent, s'aligne sur le *texte reçu* des auteurs cités. On peut ainsi déceler les modifications que Lactance introduit dans ses *auctores* pour les adapter à son dessein. D'autre part, alors que S. Brandt écrit généralement les formes qui correspondent le mieux aux règles de la grammaire classique (en particulier quand il s'agit de l'anaphorique et des démonstratifs), nous avons restitué les formes qui paraissaient le mieux attestées par la tradition manuscrite.

On peut fort bien rattacher l'ensemble *nec mirandum... credunt* à *ut intellegat* comme une seconde infinitive coordonnée à *nihil colendum esse*.

3, 11 L'accord de *B* et de *R* fonde solidement *uulgatum* là où Lucrèce écrit *uelatum*. Le vers y perd peut-être en pittoresque, mais le procès fait à ceux qui tiennent aux apparences, voulant être vus, souvent, et par tous, est ainsi plus systématique. Quant au remplacement de *uertier* par *uertere se,* il correspond sans doute au désir de remplacer un archaïsme par un terme plus courant (cf. A. GOULON, *Les citations...,* p. 124).

3, 22 Le paganisme étant désigné deux fois dans cette phrase par des termes pluriels *(falsas religiones, his quas falsas esse intellegunt),* il semble qu'on doive ici aussi le désigner par un pluriel. *Neque falsam* a été entraîné par *neque ueram*.

4, 21 E. Heck (*op. cit.,* p. 175) pense que *quispiam,* donné par *R* et *S,* est tombé par *saut du même au même* dans les autres familles de manuscrits. Nous pensons qu'il s'agit plutôt d'un ajout d'un copiste puriste, dérouté par l'emploi de *humilis* comme substantif.

4, 31 Les éditeurs rétablissent ici le *sustulisset* de Cicéron, conforme aux usages. Avec tous les manuscrits, nous écrivons *sustulerat,* considérant que, pour Lactance, cette causale, même dans un ensemble au style indirect, avait conservé une certaine autonomie syntaxique.

5, 5 Dans l'ensemble *caelum cum... fontibus,* on peut être tenté d'écrire *mare* avec *B,* pour conserver les trois singuliers *caelum... terram... mare*. Mais les trois termes ne sont parfaitement symétriques, puisque *cum,* dans les deux autres membres, introduit une explicitation du premier terme, tandis que, dans l'ensemble relatif à l'eau, il introduit des éléments ajoutés au premier nommé.

8, 11 et **8,** 25 Dans les deux cas, nous conservons *ipse* des manuscrits, considérant qu'il y a accord par le sens avec *Deus* et non par la lettre avec *prouidentia*.

8, 13 E. Heck (*op. cit.,* p. 176) préférerait *dictata* de *RS*. Mais le mot ne se rencontre nulle part ailleurs chez Lactance, et n'est pas très fréquent.

9, 3 S. Bailey (*Lactantiana, VChr.* 14, 1960, p. 165-169) propose (sans autre explication) de considérer *adornauit* comme une interpolation. Toutefois cette seconde partie de la phrase n'explique pas seulement l'expression *claris luminibus,* mais l'ensemble formé par ce substantif et les verbes *distinxit* et *impleuit*. La présence du verbe *adornauit* se justifie donc aisément.

10, 16 Sur le terme retenu, cf. notre *Note sur le texte de VERG. georg. 2, 341, AC* 43, 1971, p. 346-357; voir également les réserves d'A. GOULON, *Les citations...,* dans *Lactance et son temps,* p. 125.

10, 23 S. Brandt hésitait déjà à choisir entre *aut* et *ac*. La question demeure ouverte, cf. E. HECK, *Die dualistischen...,* p. 183.

11, 2 S. Brandt hésite entre le singulier et le pluriel; question ouverte également pour E. HECK, *op. cit.,* p. 183.

14, 13 S. Brandt ajoute ici *uina*. Mais *profundere* s'emploie fort bien absolument : cf. 1, 17, 13, où S. Brandt avait d'ailleurs éliminé *profundisse* au profit de *effundisse*.

14, 13 S. Bailey (*op. cit.,* p. 166) propose de lire *nescientes*. Mais les hommes savent bien que ce sont des démons qu'ils haïssent, puisqu'ils leur donnent le nom de *génies* (§ 12), qui n'est, vient de dire Lactance, que la traduction de *daemon*.

15, 3 (texte) Les éditeurs et critiques sont ici partagés. Les uns, arguant du principe que les démons ne peuvent avoir d'honneur (cf. *infra* 16, 9), conservent *et* (Isée, suivi par S. Bailey, *Lactantiana...,* p. 166) : pour répondre à *non,* ils ajoutent alors *sed* devant *quia* : par leur aveu, les démons n'ont pas l'intention de causer du tort à la religion païenne et à son honneur, mais, s'ils avouent, c'est parce qu'ils sont contraints et forcés. Les autres (Bünemann, Brandt), que nous suivons, considèrent qu'an *non* doit répondre un *sed,* et remplacent *et (honoris sui),* qui figure dans la majorité des manuscrits, par *sed,* leçon de *V* : l'aveu des démons ne crée pas de préjudice à la religion chrétienne, mais à leur honneur, car il fait apparaître leur faiblesse. Cette seconde solution est paléographiquement plus vraisemblable (chute de *s* dans *religionis sed*); d'autre part on retrouve ainsi l'idée exprimée chez TERT. *apol.* 23, 9 et MIN. FEL. 27, 6.

16, 20 S. Bailey (*op. cit.,* p. 166) rappelle que Lactance utilise deux fois *inueterare* avec son sens habituel de *confirmare.* Il propose donc de lire ici un verbe qui puisse signifier voiler, dissimuler, comme *inuoluerunt* ou *inuolutauerunt* (plus proche paléographiquement, mais qu'on ne rencontre que chez Apicius). Il n'y a toutefois aucune raison de remplacer *inuetero* qui est bien attesté, en particulier dans les *VL*, avec le sens de affaiblir, au terme d'un processus de vieillissement.

17, 2 *Priorum* est le texte des plus anciens manuscrits de Lactance ; il est également retenu par les plus récents éditeurs de Virgile ; ici, enfin, Lactance évoque la maîtrise divine sur le temps, et c'est donc l'ancienneté plutôt que la piété des prophètes qui l'intéresse.

INDEX

Les références au texte des *Institutions Divines* sont indiquées par un chiffre gras qui correspond au chapitre, un chiffre maigre qui correspond au paragraphe. Ce système est adopté pour tous les *Index*.

I. INDEX SCRIPTURAIRE*

* Il ne s'agit que d'allusions ou de réminiscences; il n'y a pas de *citations* dans ce livre.

II. Index des auteurs anciens cités ou utilisés

La référence des passages que Lactance paraît avoir utilisés sans les citer expressément est précédée d'un astérisque.

Les noms d'auteurs mentionnés par Lactance, sans citation ou référence à une œuvre, figurent dans l'*Index des noms propres*.

III. INDEX DES NOMS PROPRES*

* Les noms d'auteurs qui annoncent une citation ne sont pas relevés ici, mais dans l'*Index des citations,* p. 223.

IV. INDEX DES MOTS GRECS*

* Il s'agit des mots grecs que Lactance explique, et non pas de ceux qui figurent dans les citations d'Hermès ou de la Sibylle.

V. Index des passages parallèles dans l'*Épitomé*

ID	Ep.	ID	Ep.
1,4	20,2.10	10,12-13	20,12
1,5	20,10	11,19	22,2
1,13-14	20,4	12,3	22,2
1,16-19	20,9-11	12,15	22,2
2 *pass.*	20,2.4.9-11.15	12,17-19	22,3
2,17	20,15	12,20	22,5
3,10	20,4	13,3	22,5
4,1	20,5-7	14,1	22,6.9.11
4,8-9	20,7	14,6	24,1; 23,7
4,15	20,7	14,7	23,1
4,16-20	20,8	14,8	22,9.11
5,4-6	21,1	14,8-9	23,1-2
5,6-7	21,2	14,10	23,6
5,8-9	21,1	14,11	22,11
5,10-20	21,3	14,12	23,3
5,12	21,2	14,14	23,8
5,17	21,2	16,1-2	23,5-7
6,2	20,14	16,3	23,4
6,6	20,14	16,5	23,4
7,7	22,1	16,9-10	23,4.9
7,14	22,1	16,10	23,7
8,1	22,1	16,11	23,9
8,5	22,7	16,11-12	22,3
8,6	22,6	16,14	23,8
8,8-11	22,2	16,15	23,4
9,2-3	22,2	16,20	23,9
10,1	22,2	17,1	24,1-3.10
10,2-3	22,2	17,6	25,1
10,5	20,12	17,7	20,11
		17,9-10	25,1
		17,12	25,1

VI. Index bibliographique

On ne trouvera ici que les références complètes des ouvrages plusieurs fois cités dans le livre sous une forme abrégée. Pour ceux qui n'apparaissent qu'une fois, les références sont données *ad loc.* Une bibliographie générale de Lactance figurera dans l'*Introduction générale.*

Brandt S., *Prolegomena* à son édition des œuvres de Lactance, *CSEL* t. 19,1, 1890.

Goulon A., *Les citations des poètes latins dans l'œuvre de Lactance,* dans *Lactance et son temps* (voir à ce titre) p. 107-156.

Heck E., *Die dualistischen Zusätze und die Kaiseranreden bei Lactantius. Untersuchungen zur Textgeschichte der Diuinae Institutiones und der Schrift « De opificio Dei »,* Heidelberg 1972.

Lactance et son temps. Recherches actuelles. Actes du IVe colloque d'études historiques et patristiques, Chantilly 21-23 septembre 1976, édités par J. Fontaine et M. Perrin (*Théologie historique,* 48) Paris 1978.

Lausberg M., *Untersuchungen zu Senecas Fragmenten* (Untersuchungen zur antiken Literatur und Geschichte, 7) Berlin 1970.

Loi V., *Lattanzio nella storia del linguaggio e del pensiero teologico pre-niceno,* Zurich 1970.

Monat P., *Lactance et la Bible,* 2 vol. Paris 1982.

Ogilvie R.M., *The library of Lactantius,* Oxford 1978.

Perrin M., *L'homme antique et chrétien. L'anthropologie de Lactance 250-325* (Théologie historique, 59) Paris 1981.

Perrin M., *Culture et foi chez Lactance. Quelques problèmes concernant la création du monde et l'homme.* (Anthropologie et humanisme, Les Cahiers de Fontenay 1985, p. 57-66).

Pichon R., *Lactance. Étude sur le mouvement philosophique et religieux sous le règne de Constantin,* Paris 1902.

Shackleton Bailey D.R., *Lactantiana,* dans *Vigiliae Christianae,* t. 14, 1960, p. 165-169.

Stangl Th., *Lactantiana,* dans *Rheinisches Museum,* t. 70, 1915, p. 224-252 et 441-471.

Wlosok A., *Laktanz und die philosophische Gnosis. Untersuchungen zu Geschichte und Terminologie der gnostischen Erlösungsvorstellung,* Heidelberg 1960.

TABLE DES MATIÈRES

SOURCES CHRÉTIENNES

Fondateurs : H. de Lubac, s.j.
† J. Daniélou, s.j.
C. Mondésert, s.j.
Directeur : D. Bertrand, s.j.
Directeur-adjoint : J.N. Guinot

Dans la liste qui suit, dite « liste alphabétique », tous les ouvrages sont rangés par nom d'auteur ancien, les numéros précisant pour chacun l'ordre de parution depuis le début de la collection. Pour une information plus complète, on peut se procurer deux autres listes au secrétariat de « Sources Chrétiennes »
29, rue du Plat, 69002 Lyon (France) – Tél. : 78.37.27.08 :

1. la « liste numérique », qui présente les volumes et leurs auteurs actuels d'après les dates de publication; elle indique les réimpressions et les ouvrages momentanément épuisés ou dont la réédition est préparée.
2. la « liste thématique », qui présente les volumes d'après les centres d'intérêt et les genres littéraires : exégèse, dogme, histoire, correspondance, apologétique, etc.

LISTE ALPHABÉTIQUE (1-337)

SOUS PRESSE

EUSÈBE DE CÉSARÉE : **Préparation évangélique,** Livres XIV-XV. É. des Places.
ÉVAGRE LE PONTIQUE : **Scholies aux Proverbes.** P. Géhin.
GRÉGOIRE DE NAZIANZE : **Discours 38-41.** P. Gallay et C. Moreschini.
ISAAC DE L'ÉTOILE : **Sermons.** Tome III. G. Raciti.
PALLADIOS : **Vie de S. Jean Chrysostome.** (2 tomes). A.-M. Malingrey.
JEAN CHRYSOSTOME : **Commentaire sur Job.** Tome I. H. Sorlin.
CÉSAIRE D'ARLES : **Œuvres monastiques,** tome I : **Œuvres pour les moniales.** A. de Voguë, J. Courreau.

Également aux Éditions du Cerf :

LES ŒUVRES DE PHILON D'ALEXANDRIE

publiées sous la direction de

R. ARNALDEZ, C. MONDÉSERT, J. POUILLOUX.

Texte original et traduction française.

1. **Introduction générale, De opificio mundi.** R. Arnaldez (1961).
2. **Legum allegoriae.** C. Mondésert (1962).
3. **De cherubim.** J. Gorez (1963).
4. **De sacrificiis Abelis et Caini.** A. Méasson (1966).
5. **Quod deterius potiori insidiari soleat.** I. Feuer (1965).
6. **De posteritate Caini.** R. Arnaldez (1972).

7-8. **De gigantibus. Quod Deus sit immutabilis.** A. Mosès (1963).

9. **De agricultura.** J. Pouilloux (1961).
10. **De plantatione.** J. Pouilloux (1963).

11-12. **De ebrietate. De sobrietate.** J. Gorez (1962).

13. **De confusione linguarum.** J.-G. Kahn (1963).
14. **De migratione Abrahami.** J. Cazeaux (1965).

15. **Quis rerum divinarum heres sit.** M. Harl (1966).
16. **De congressu eruditionis gratia.** M. Alexandre (1967).
17. **De fuga.** E. Starobinsky-Safran (1970).
18. **De mutatione nominum.** R. Arnaldez (1964).
19. **De somniis.** P. Savinel (1962).
20. **De Abrahamo.** J. Gorez (1966).
21. **De Iosepho.** J. Laporte (1964).
22. **De vita Mosis.** R. Arnaldez, C. Mondésert, J. Pouilloux, P. Savinel (1967).
23. **De Decalogo.** V. Nikiprowetzky (1965).
24. **De specialibus legibus.** Livres I-II. S. Daniel (1975).
25. **De specialibus legibus.** Livres III-IV. A. Mosès (1970).
26. **De virtutibus.** R. Arnaldez, A.-M. Vérilhac, M.-R. Servel, P. Delobre (1962).
27. **De praemiis et poenis. De exsecrationibus.** A. Beckaert (1961).
28. **Quod omnis probus liber sit.** M. Petit (1974).
29. **De vita contemplativa.** F. Daumas et P. Miquel (1964).
30. **De aeternitate mundi.** R. Arnaldez et J. Pouilloux (1969).
31. **In Flaccum.** A. Pelletier (1967).
32. **Legatio ad Caium.** A. Pelletier (1972).
33. **Quaestiones in Genesim et in Exodum. Fragmenta greca.** F. Petit (1978).

34 A. **Quaestiones in Genesim,** I-II (e vers. armen.). C. Mercier (1979).
34 B. **Quaestiones in Genesim,** III-IV (e vers. armen.) Ch. Mercier et F. Petit (1984).
34 C. **Quaestiones in Exodum,** I-II (e vers. armen.) (en préparation).

35. **De Providentia,** I-II. M. Hadas-Lebel (1973).
36. **De animalibus.** A. Terian et J. Laporte (en préparation).
37. **Hypothetica.** M. Petit (en préparation).